詩とは何か

吉増剛造

講談社現代新書
2641

目次

序――こわいようなタイトルのこの本に

「詩心」について

なぜ、そしてどうして、この「詩心」といわれることが、起こるのでしょうか？

拙（つたな）いお話の仕方とは思いますが、「詩とは何か」という、こわいようなタイトルのこの本にささやかな序と言うんですか、これから、自分の声を発しつつ、訥々（とつとつ）とですが、口跡（こうせき）にも耳を澄ましながら、その向こうから、あるいはその傍（そば）から、あるいはその果ての方から、ほんの僅かに、うたうような何かが、聞こえてくるのかもしれない、ということを考えてお話をさせてください。

昔でしたら、たとえば中原中也（なかはらちゅうや）だとか宮沢賢治（みやざわけんじ）のように、若年の天性で詩を形作ったということもあったのでしょうけれども、わたくしのような者の場合には、あるいは現代人は皆がそんなふうになってきているのかもしれませんが、貧しいながらも六十年以上の歳月を費やしまして、自分の過ごした時間と意識化できなかったことを、すなわち心の「内蔵庫」のようなところに、本当に沢山にしまい込んでしまっていたものを、ようやく、いま、こうしてお話しできるようになってきています、……どうでしょうか、本当にうまく行くかどうか、いささか心許ない気もするのですが、ともかく、……と思います。「詩の心」、「詩情」とか「詩心」とか、それから「ポエジー」あるときには「ポエム」とか、そんな言い方をしますけれども、それよりもはるかに底のほうの、「かたち」にならない、名づけがたい根源的なところにあるらしいものの、「思想」というよりも、「思いの塊（かたま）り」といったほうがよいようなもの、それの、そのはたらきのようなものをこそ、そして、そのはたらきを促す、あるいはさそう僅かな力をこそ、つかまえなければならない。それが大戦争、敗戦、そして3・11という大災厄を経て、わたくしたちの心が自分に課している、「課している」という言い方が、たった今できましたが、そうしたある、「運命」という言葉を使うのはとても重いのですけれども、そういうところへと躙（にじ）り寄っていくための、「詩」とは、細い道のひとつなのだろうと思います。ですから、「和歌」や「俳句」やあるいは「小説」も含めて、戦前、戦後すぐまでの、「かたち」のある芸術活動とは、今や「詩」は、まったく違うものになってきています、そうひとまず申し上げておきたいと思います。

　わたくしは日本語で書くしかありません。しかし皆さんご存じのように日本語というのは、ひじょうに底の深い多岐にわたる言語の層を、その奥底に持っている言語です。時として、中国の唐や宋の時代、明の時代、清の時代、あるいは沖縄、アイヌの方々の言語、あるいは韓国の方々の言語が波頭のように、そこから聞こえてくるかもしれません。しかも、わたくしたちが長い間、命を永らえておりますこのアジアという地域はアフリカにも似て、太古からの、ヨーロッパ文明が到達をしたところとはまた違う深い時間を、わたくしたちの身心の奥底の、何か身体と心のしぐさのようなものとして持っていて、それにもつねに訊ねなければならないのです。

もっとも、この日本語という問題は、それ一つだけを論じてもあまりにも途方もなく深い問題ですのでひとまずおきまして、「詩」に戻りますと、経験的に言いますと、これは、若いひと、あるいは幼い方にもよく言いますことなのですが、たった一人で鉛筆やシャーペンやボールペンを持って、紙の前で、さあ、「詩」を書きなさいと言われますと、きっとだれでもが、もう頭が真っ白になってしまうでしょう。しかしそれこそが、じつは大切なことなのです。ドイツのひじょうに優れた批評家でした、ヴァルター・ベンヤミンという人が翻訳について論じながら、あらゆる言語が到達しようとして志向する、「志

＊ヴァルター・ベンヤミン（一八九二〜一九四〇）――ユダヤ系ドイツ人の文芸批評家・哲学者・翻訳家。ヘブライ思想に親しむが、マルクス主義に接近して、独特の繊細な感受性を活かした弁証法的思考によって重要な文学論や芸術論を残した。「純粋言語」は『翻訳者の使命』で用いられた概念。主な著書に『複製技術時代の芸術』、『パサージュ論』など。

し」、「向かおう」としている、その極にあるのは、「純粋言語」であるという言い方をしていました。その想定されている「純粋言語」に向かって努力するように、でしょうね、そういうところにわたくしたちは、いまや立たされているのです。

　ですから、これは失敗とか成功とかそういう技術の問題を超えた、心がしめすべき態度のようなものでしょう。そこでふっと思い浮かびますのですが、芭蕉（ばしょう）さんが「風雅（ふうが）の誠を責める」という言い方をしていました。古臭い言い方ですけれども、その「風雅の誠」というものは、じつは誰にも見えていないものなのです。それは「ポエジー」と言うこともできない、「詩」と言うこともできない、もしかすると「歌」というものをも超えているものかもしれない、そういうところに心を寄せていくことを課せられた、それをまあニーチェだったら、「人というのは間断なく何かを超えていくものだ」って、ふっと、言ったことがありましたけれども、植物や動物も宇宙の中で定められた、あるいは間断のない変化する生を受けていることでしょうけれども、特に「言葉」という不思議を持たされた人間という存在が、必ずしもキリスト教の言う「原罪」というのとは違いますけれども、それともどこか似たような、「間断なく根源の手が働いている」、……これは吉本隆明（よしもとたかあき）さんについて名づけた言い方ですけれども、……根源の心に向かっていく、ということなのかもしれません。

「詩」は、思いがけないところで、煙か白雲のように、不図、その姿のようなものをあらわすことがあります。ごく最近の経験を申し上げてみたいと思いますが、三年程をかけまして、石巻のホテルの一室に籠もって綴りました詩を、詩集（『Voix』）として上梓をしようとして最終校正をいたしておりました。二〇二一年の六月のある日のことでしたが、どうもここは、イメージになっていないし、弱いな、消そうかしらという内心の囁きが聞こえてしまったのかも知れません。女川で津波に逢われた方のお心が、ホテル（ニューさか井二〇六号室）の一室の通気口から入ってこられる一夜、……というところで、そうだ、思いのようなものが、白い煙か白雲のようにこの部屋に入ってきたというところで、詩人（作者）の心にもまた、白い煙か白雲の一筋のような詩の姿形が入って来ていました、……この弱く、儚い、白雲か煙のようなものこそが「詩」の姿形の一端であると気がついたことがありました。「純粋言語」とか「根源」とか、ひち面倒ないい方から漏れていってしまいますもの、漏れていってしまいます、弱いもの儚いもののすぐ傍にこそ、詩の出入口があるようなのです。そしてこの「漏れる」ということからは、「音楽」にも「絵」にも、あるいは思考にもとどくような小径が、ふと、現れて来ているのかも知れません。

純粋言語への道

さらに申しますと、この「純粋言語」というのは、学問、思想、芸術の歴史、あるいは詩の歴史から紡ぎだされてくるものというわけでは必ずしもなくて、誰しもが持っています、もう苦しんでどうしようもないような、そんなときにひらめく稲妻のような、一条の弱々しい、幽(かす)かな、貧しい街の夜の光のようなもの。こういう、まあ昔だったら「一瞬の直感」というような言い方をしました、そうしたものに心を寄せることを、間断なく心に課する、課するっていうのは「言偏(ごんべん)に果てる」と書きますね、そういう、心にその荷を負わせる、責任を負わせる、そうしたことに、「詩」は存在しているのだろうと思います。

それがどういうあらわれをしてくるのか。ときには見事な作品に結実することはあるのかもしれませんけれども、それはむしろ奇蹟です。また、狭い意味での「詩」の中だけにではなく、絵心や歌のこころ、パウル・クレーやカンディンスキーやゴッホ、あるいは浦上玉堂(うらかみぎょくどう)や雪舟(せっしゅう)や、あるいはカフカ、またあるときには蕪村(ぶそん)のような、言葉と接する「しるし」の中にもおそらくは、「純粋言語」への道は、わずかに見えているはずなのです。

ヴァルター・ベンヤミンは、ナチスに追われて逃げ場を失って、スペイン国境で自ら命を絶ってしまったのですが、その人が手元に置いていましたパウル・クレーの、すぐに皆さんの脳裏にもあの線が浮かんでくると思いますけれども、ああした作品、戦争直後にわたくしは「アンフォルメル（不定形）」と言われる絵描きさんたちの線を見て、ヴォルスですとか、アシル・ゴーキーとか、あるいはクレーもそれに入ると思います、その人たちの不定形、アンフォルメル、染みか滲みのようなものの不思議な姿形、そういう人たちの目指しているものの果てに、やはりわたくしたちの心がどこかで求めているらしい「純粋言語」に通じる道があるらしいことにも気がついておりました。

ハイデガーの杣道をたどって

もう少し、つづけさせて下さい。「新書」といいます、多くの方々のお眼に触れる書物ですことも、心にとめながらなのですが、それが叶いますかどうか、こうして、「詩とは何か」を追求しようとするわたくし自身の心に、仮に、……この「仮に」というのが不思議な時間ですね、あるいは不思議なしぐさです、仮に耳を傾けるようにしてみる姿勢と言いますか、しぐさと言いますか、態度と言いますか、それを考えながら、今は、二〇二一年、令和三年のはじまりから初夏にさしかかりますあたりの時節なのですけれども、これが二十年前でしたら、あるいは十年後でしたら、おそらくこのしぐさ、姿勢、声の調子はまったく違ったものになっていることでしょうという、そうした恐れに近いものを感じながらお話をしはじめています。

これは文章化も試みてはみましたけれども、こうしたたいへんなテーマであります「詩とは何か」について考えようとするときには、もうその考え自身の方がものを言いはじめておりまして、「それは文章化に適していないものだよ」という声までもが聞こえてきておりました。ですから、六十数年にわたって手を動かして、いわゆるエクリチュール、文字を書くということに、貧しいながらも心を注いできましたけれども、そう、先程お名前を出しました中原中也、中也さんは、詩をつくることを「皺(しわ)をつくること」にたとえたことがありました。しかしもう、それだけでは語り尽くすことが出来ないのだと、わたくしは感じております。今ここにきまして、「詩とは何か」という問いの前で、文章化の不可能な、不可能なという言い方よりも、そこからどうしてもほんの少しだけ、わずかに外れてしまう小さな道にこそ、この「詩とは何か」という問いが、どうやら存在をしているようなのです。あるいは、この方は、もうすでにお名前を口にしておりましたけれども、それは「詩はまちがった表現なのだ」(吉本隆明)という考え、あるいは「問い」をもふくんでいるもののようです。

わたくしは哲学書を読むのが好きで、ニーチェ、キルケゴール、ウィトゲンシュタインなどの本を折りにふれひらいておりますが、中でも特に、……政治的なスタンスの問題などもありまして、最近、あまり評判がよくないようですが、……マルティン・ハイデガーをしばしば読み返しております。詩の本源についての哲学的な考察としては、やはりハイデガーが言っていることが、わたくしの考えておりますことに一番近いように思うのです。そのハイデガーの著作に、日本語のタイトルを『杣道』というものがあります。

杣道、森の中の下草径のようなものですね。森の中で下草に覆われて、ほんとうにあるかないかもわからない、あるいはどこに続いているのかもわからない、細い細い、そんなあるかなきかの「通路」。恐る恐るその小径をたどってゆくと、ふっと、森の中の小さな開けた場所に出ることがある。その「開けた場所」のことをハイデガーは「真理」の比喩として使っているようなのですが、真理という大げさなことばはわたくしはむしろ避けたいと思うのですが、やはりなにかそのような、「ほんとうのこと」への小さな小さな、細い小径をたどる行為に、これからこの本でわたくしが試みますことは、通じるような予感が今、いたしてきております。

でも、この『杣道』、フランス語訳のタイトルは、またそれを日本語に直しますと、「どこにも行き着かない径」というのですね……。

＊マルティン・ハイデガー（一八八九〜一九七六）——ドイツの哲学者。現象学の立場から現存在分析を通して存在の意味への問いを設定した主著『存在と時間』を著し、多くの哲学者に影響を与えた。「二十世紀最大の哲学者」と称される。またヘルダーリンの詩を生涯にわたって論じた。

もっとも、それでは「本」になりませんので、「寄り道」をしつつも、この「詩とは何か」という空恐ろしいような大きな問いに、力及ばずながら、なんとか接近してゆこう、そう祈念をいたしております。

先程、石巻のホテルの一室での最終校正について触れましたのですが、その折に、白い煙の一筋のような詩の姿形がと申し上げましたが、それが気が付きますと「イの樹木の君が立って来ていた」という一行に変わって現れて来ていたのです。ああ、この一行の出現を待って、三年、十年、あるいはわたくしは生涯をすごして来ていたのだという、感慨がございましたことを、「詩」の現れの一例として、ご報告をしておきたいと思います。

おそらくベンヤミンがみごとに言いました「純粋言語」ということばでもまだ十分には届くことのできない、……そしてこれを決して「純粋詩」という枠組みにはとどめない所にこそ「詩」はあるのだという予感がわたくしはいたしております。「純粋言語」のさらに下へと降る坑道を掘る、あるいはそれは、「＋」ではない、「－」の存在を摑もうとする、基本的には実現の不可能な、空しい行為なのかも知れません。ここまで考えたり、思ったりすると、これはもう危ないことなのかも知れません。しかしそれでも何とかそこにまで届こうとしてもがく、悶える、そのような行為が、あるいはその行為によって出来上がった「作品」の中にではなく、そのもがいている行為そのものの、逡巡、躊躇の中にこそ、ふっと一瞬、貌を顕すのが「詩」というものなのかもしれないのです。

そのことに関してもうひとつだけ、どうしても忘れがたく覚えておりますことを申し上げて、この序の終わりといたします。鎌倉時代に道元という禅の偉い人がいましたけれども、この人は宋の時代に中国に渡って、中国語を勉強して、宋の言葉で思考してたんですね。日本に帰ってきて、曹洞宗を開きましたけれど、その道元が、『正法眼蔵』の中で「ものを考えるときには、笊で水を掬うごとくにせよ」と言っているんです。

ふつうでしたら逆ですよね。「笊で水を掬うごとく」では、もう水が漏れてしまいます。しかし、その漏れていく水の音に耳を澄まして、そのときを考えていくこと、すなわち、ものの役に立つとか目的があるとか、そうしたことを超えて、ベンヤミンの言う「純粋言語」のようなところに、あるいはそれを超えたところに向かって自分の心を間断なく据え直していく、そういうことを続けていくことが、やはり必要なようです。

苦しいことですよ。その一端として、吉増剛造というこの変な名前の、もう嫌でしょうがないですけどね、仕方ないですね、こんな名前の八十二歳にもなりました老詩人が、ひとまず序としてお話し申し上げました。ありがとうございました。

第一部　詩のさまざまな「姿」について

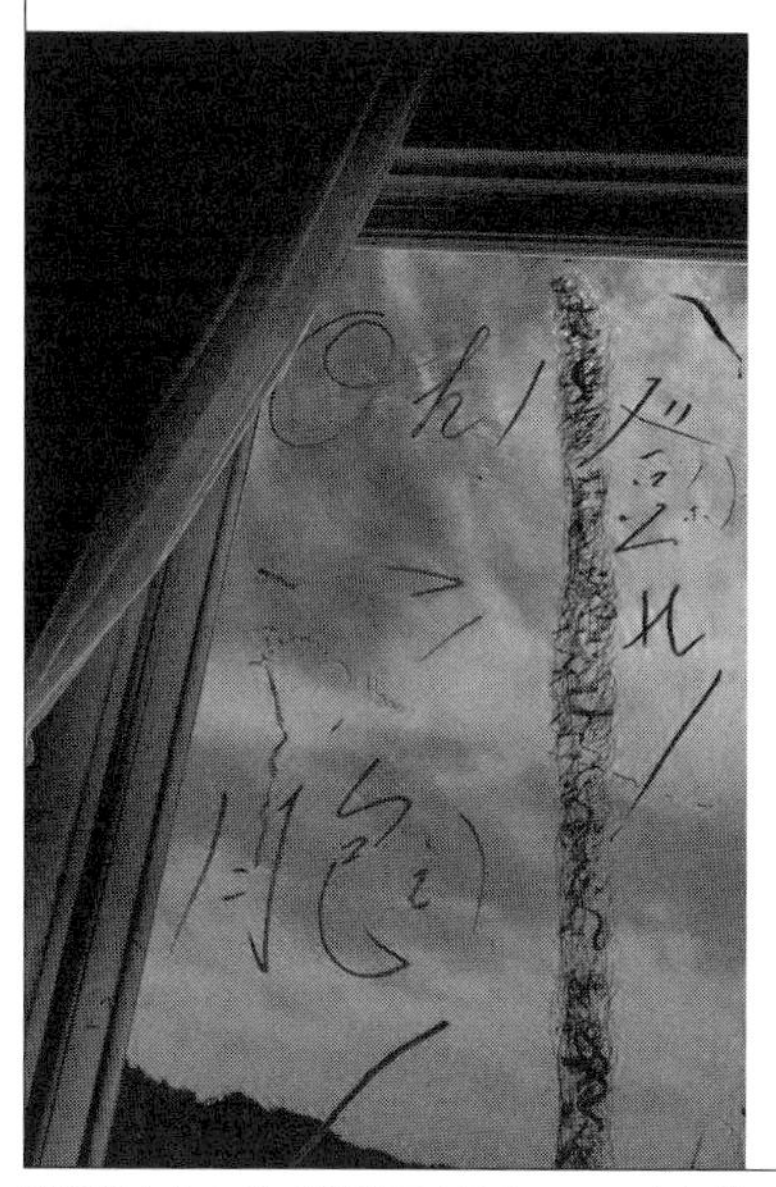

窓に書かれた詩（石巻市ホテルニューさか井206号室）

第一章　詩のほんとうの「しぐさ」

ディラン・トマスから始まる

緑の導火線を通って花を咲かせる力

緑の導火線を通って花を咲かせる力は
ぼくの緑の年月を駆りたて　木々の根を萎(しお)れさせる力が
ぼくを破壊する
だが　ぼくは唖なので萎れ曲った薔薇にはいえない
ぼくの青春も同じ冬の熱病にゆがんでいると

岩間から水を迸らせる力は
ぼくの赤い血を駆りたて　饒舌な流れを涸らす力が
ぼくの血を蠟に変える

だが　ぼくは唖なのでぼくの血管にはいえない
山の泉で同じ口がどんなふうに水をすするかを

水溜をかきまわす手は
流砂を起させ　吹く風に縄をかける手が
ぼくの経帷子の帆をたぐって向きを変える
だが　ぼくは唖なので絞首刑の男にはいえない
絞首刑吏の石灰がどんなふうにぼくの土で作られているかを

時の唇は泉の源に吸いついて血をすする
愛から血が滴り集まる　がその落ちた血は
愛の痛みを和らげるだろう
だが　ぼくは唖なので時候の風にはいえない
時が星々をめぐって　この世の天空をどんなふうに刻んできたかを

そしてぼくは唖なので恋する男の墓にはいえない

ぼくのシーツを同じよじれた蛆虫がどんなふうに這いまわるかを

（松浦直巳訳、彌生書房刊）

さて、この「詩とは何か」という、なんとも恐ろしい、大それたタイトルの本の最初に挙げる「詩」として、何を選ぶべきなのか、……このように申し上げますと、何かわたくしが逡巡しているように取られてしまうかも知れません。しかし、これはもう、このお題を頂戴いたしましたその時に、刹那（せつな）に、……直観といったらよいのでしょうか、まさに「火」のようにですね、ぱっと浮かび上がった詩篇がありました。それがこの章の冒頭に引用をいたしました、ウェールズの酔っ払い詩人、ディラン・トマスの「緑の導火線を通って花を咲かせる力」でした。

そしてまたこれは、ちょうどわたくしが詩を書き始めましたころの衝撃の記憶でもあったのです。ディラン・トマスが十九歳でデビューしまして、「green fuse」、「through the green fuse」、「緑の導火線を」と言い出したとき、そしてこれが即座に漢字になってその炎が移ったとき、わたくしは、ぼーっと辺り一面が火事になったような感じがいたしました。おそらく「導火線」の熔（と）ける火と、光の筋のようなものに、万物の不思議を直観したのかも知れません。

決してT・S・エリオットの「アルフレッド・プルフロック」でもないし、頭で考えて詩を拵えたエズラ・パウンドでもないし、もちろんウォーレス・スティーブンスでもないしマラルメでもない。そうではなくて、初めて「詩」というものにぶち当たったのがどうやらこのディラン・トマスの爆発的なエロスであったらしいこと、これは本当の胎内感覚あるいは内臓感覚の芯のようなところとは、一体何物だろうかという問にぶつかった、同時代性の、ある手がかりのようなものでもありました。

感じて頂けますでしょうか、ここに表されている、もうどうにも止めようのない、言いようもないスピード、勢い、そして「green」ということばのもつ「初々しさ」とフレッシュネス、そして作品としての果て知れぬ「大きさ」。そういったものに突然ぶち当たりまして、若き日のわたくしはもう「ガーン」と頭をぶちのめされたような衝撃を受けたのです。

わたくしにも「疾走詩篇」(一九六七年)という作品がありまして、初期の代表作などとも言われたりしておりますが、その時よりさらに前に、若き日のわたくしは、まずこのディラン・トマスの「green fuse」における「スピード」、「パワー」、「勢い」ということに

＊ディラン・トマス(一九一四〜一九五三)——ウェールズの詩人・作家。二十世紀の英語圏を代表する詩人のひとり。作品の大半を故郷のスウォンジーで執筆した。著書に『ディラン・トマス全詩集』、『子犬時代の芸術家の肖像』など。

驚嘆するところから、その渾然一体といってもよいところから、「詩」というものに、まずぶち当たったようでした。

さらには、この詩の「大きさ」にも注目して頂けますでしょうか。わたくしも初期には「大言壮語癖」などという、ありがたいようなありがたくないような評を頂戴したことがありましたが、長い詩を書くということを自らに使命のようにして課してきたところがあります。その点におきましても、この詩は、勢いを勢いのままに維持しつつも、生命力に充ち満ちたことばたちの連なりによって雄大に「歌」を展開させてゆく、若き日のわたくしにとっては忘れがたい、一つの指標となるべき作品となっておりました。

こうして、ディラン・トマスの詩篇を読み返していると、うん、まるで〝緑の導火線〟のようにだ、……と、記憶の蕾が裂けて弾けるのが判ります。あるいは、〝荒廃した夏の少年たちが／黄金の十分の一税を不毛にし〟(「わたしは見る　夏の少年たちを」、松浦直巳訳、彌生書房)が、〝焼夷弾を受けた夕べ(「詩と入口」)〟がこうして、またも、記憶のなかで弾けるのです。

どうでしょう、このタイトル「緑の導火線を通って花を咲かせる力」、このトーンの、道筋というか、聞こえて来ている音調と口調が、とても新しかったのです。

声のなかの濁りと遅さ

これは後になってのことですが、ディラン・トマスが自作を朗読した録音を聞いたことがありました。酔っ払い詩人ですからこのひと、声がものすごい濁声（だみごえ）だったのですね。そのことにもまた驚かされておりました。

この「声」と申しますことは、わたくしの終生のテーマの一つでありまして、おそらくこれからも折に触れて、この「声」、なかでもディラン・トマスのような「濁声」についてはおいおい言及してゆくことになるのではないかという予感がいたしております。

さて……、

いままさにディラン・トマスの「緑の導火線」という詩の「勢い」、物質の内部の「輝き」、未知の「大きさ」、そして声の「濁り」への感嘆についてお話しをいたしましたばかりなのですが、もう、すぐ脇道に逸れてしまいます。そして、この詩にただたんに「スピード」や構えの「大きさ」だけを見るのでは、やはりこの詩を正当に評価したことにはならないよ、と、……同時にそういう脇の声も、すぐさま聞こえてきているのです。

いま、声の「濁り」と言うことを申し上げました。しかし「濁り」だけではなく、さらには「汚れ」、あるいは「躓（つまず）き」のような感覚までもがこの詩からは感じとられないでしようか。

そもそも書き手のディラン・トマスは、自身の中に沸（わ）き立ってくるこのどうしようもない速度から、作品が成り立つときにはもうすでに「遅れて」しまっているのですね。きっちりと、おのれの内部に次々と沸き立ってくる、衝動、あるいは爆発を、どうやっても過不足なく表現するには至らない、そのもどかしさが例えば「だが　ぼくは唖なので……いえない」という表現になっています。よくお読みになって頂ければわかりますけれども、この詩はたしかにものすごい勢いの中にありますけれども、「破壊」、「ゆがみ」、「涸れる」、「萎れ」といったネガティヴな表現がまさにばらまかれるようにして、あちらこちらに現れ出ております。つまりこの詩の「勢い」とは、絶えず漏れていってしまうといってもよいような、むしろ「苦悩の勢い」であったかも知れないようなものなのです。本書の幾度目かの手入れのときのことでしたが、不図、こんな小声が聞こえて来ていたのです。お前は〝「唖なので……いえない」という詩の底の、そして根の声に、心を震わせていたのだ、……〟とも。

　いえ、それどころか、ある異様なまでの「遅さ」、あるいは「怯(おび)え」のようなものをさえ、むしろこの詩は孕(はら)んでいるのかも知れないのです。そしてわたくしの中のわたくしならざるこの声は、「だから、これがあたらしいのだ」と、こうも呟(つぶや)いていたようでした。たしかにそのような、「遅さ」、あるいは「遅れ」の中にも、同じく、ふと「詩」の貌が、あるいは根が顕れてくることがあるのです。

そのような一例として、次にご紹介いたしますのは、わたくしが長年親しんできております萩原朔太郎の、晩年の著作『郷愁の詩人 与謝蕪村』の中の一節です。この本を書きましたときに朔太郎は、まず初めの一句を、ここがやはり、まあよく「直感」とか「インスピレーション」と言いますけれども、それよりももっと奥深い、本当のかすかな掠れた声を聞いてよくぞ選んだものだなと思いますけれども、「春の部」の最初の一句に、

遅き日のつもりて遠き昔かな

この「遅き日」、……、この時間の感覚を、ふっと吐息をもらすようにつぶやいてみせた優しい小声の蕪村。この声をまず最初に選んだ朔太郎の感じていたことがわかるような気がしますのは、ここには「詩とは何か」と同時に「時とは何か」、「不在」とは何か、という問いも同時に含まれてきておりまして、「遅き日のつもりて遠き昔かな」って、これ

＊萩原朔太郎（一八八六～一九四二）――詩人。一九一七年刊行の詩集『月に吠える』でデビュー、内容・形式ともに比類ない斬新な口語自由詩の文体を示して高く評価され、詩壇に確固たる地位を得た。以後も『青猫』、『氷島』など重要な詩集を出して「日本近代詩の父」と称されてよい存在となる。一九三六年刊行の『郷愁の詩人　与謝蕪村』は、伝統詩を独特のモダンな感受性で受容、蕪村の新しい魅力を発見した。

は中国の文人、まあ陶淵明とか、杜甫とかそうした中国のたいへんな詩の魂たちが考えていた超アジア的な時間、なんて言うんでしょうね、ハイデガーでしたら、時が熟する、「時熟」という言い方をしたでしょう、そんな時間のとらえ方。「遅き日」、遅日。春のやや夕暮れに少し夕日がやさしくあたたかく濁るようになってくる、その時をとらえて遅日、日がゆっくりしてくる……まあこうなるともう東洋とかアジアとか言わなくてもいいかもしれない。それだけではなく、例えば音楽においてもマイルス・デイヴィスやセロニアス・モンク、あるいはヴァレリー・アファナシエフのピアノにもこうした遅さ、不思議な遅さはありますから。

　しかしながら、この「遅さ」というものは、同時に驚異的な速さでもあるようなものでもあるのです。これを科学用語で「時間感覚」なんて言ってしまうと即座に消えてしまうような、それもまた、詩の宇宙の輝き、あるいは燃えるような、刹那の光芒なのだろうと思います。現代人のわたくしたちは「半導体」という言葉を、聞き慣れてしまっているのですが、あらためて立ち止まって考えてみますと、なんでしょうね、この言葉に、畏れのようなものを、わたくしは、ふっと感じておりました。

「速さ」の中の「遅さ」、「遅さ」の中の「速さ」、「濁り」の中の「澄んだもの」、このように相反するものが一つの中に同時に含まれているような詩が、魅力ある詩、少なくともその一例とすることが、できるように感じられるのです。

李白の詩の大きさ

せっかくですので、わたくしの好きな李白(りはく)の詩も引いておきましょう。李白というと、「白髪三千丈(はくはつさんぜんじょう)」というような壮大、そして巨大というんでしょうか、詩の大きさ、……先ほど申しましたように、ディラン・トマスもそうですね、果て知れぬ大きさと強さがあるのがその詩の特徴かもしれませんが、そのような、本来とほうもない大きさをつかまえる力のある詩人が書きました、一見、小さな小さな詩、「静かな夜に思う（静夜思）」という四行の五言絶句です。

静夜思　　静かなる夜の思い

牀前看月光　　床前(しょうぜん)に月光を看る

*ヴァレリー・アファナシエフ——一九四七年生まれ。ロシアのピアニスト。作家・詩人でもある。レパートリーはベートーヴェンなどドイツ・ロマン派のものが多いが、テンポをきわめて遅く設定するなど表現は個性的である。ベルギー国籍を取得してブリュッセルに住み、フランス語で小説などを執筆するので、「思索するピアニスト」と呼ばれることがある。

疑是地上霜　　疑うらくは是れ地上の霜かと
擧頭望山月　　頭を挙げて山月を望み
低頭思故郷　　頭を低れて故郷を思う

この短さと、すぐに覚えてしまう不思議な静けさの強さというんですか、それが「詩」というもののもう一つの極にあります。「牀前月光を看る（牀前看月光）」。自分の寝ているところの前で月の光が見えたんですね。「疑うらくはこれ地上の霜かと（疑是地上霜）」。あれっと思って一瞬、霜がおりているのかと思う。そうしておいて、「こうべを挙げて山月を望み（擧頭望山月）」。あっと思って気がつくと、俺は頭を動かして月を見ているらしくて、ねえ、次の行、最後の行ですよ、「こうべを低れて故郷を思う（低頭思故郷）」。次の瞬間、詩人の中で別の心が動いているんですね。これが「低れ」といわれたところが絶妙というのか、「神々しい」ようなところなのです。気がつくと、俺は頭を少し下げて、はるかなふるさとを思っているらしい、と。

李白という人は、昔、わたくしが読んだときにはまだそんな説は明らかになっておりませんでしたけれども、それ以後の研究で、恐らく中央アジアあたりのはるかなところから旅をしてきた、もしかしたら少し目の青いような、そういう人だったらしいんですね。ですからこの一瞬の、刹那のこの詩の「しぐさ」の中にも、非常に遠い道のりを想像することもできるのですね。

さらに、知らない中国語の発音の声が、ほんの少しだけ、聞こえてくるような気がするのですね。ほんの少し、白い煙の筋かなにかみたいに、……。

これも詩なんですよ。いえ、これが詩なんですよ。

このようにして、少しずつ少しずつ拙い力で、貧しい貧しい貧しいやり方かもしれませんけれども、これから「詩」を解いていこうと思います。

エミリー・ディキンソンの魅力

そうして次にご紹介いたしますのは、わたくしがもっとも大切にしている詩人と申し上げましても差し支えないとまで思っております、エミリー・ディキンソンです。このエミリーとの出会いによってわたくしは、詩作の上での大変深い影響を受けるようになりました。日本でいいましたら江戸から明治にかけての人、たった一人、自宅にこもり切って孤

＊エミリー・ディキンソン（一八三〇〜一八八六）――アメリカの詩人。マサチューセッツ州のアマーストの上流階級の家に生まれるが、その生涯を生家に引き籠って暮らした。生前に発表した作品は少数でほとんど世に知られることはなかったが、没後、ノートに一七〇〇篇以上残された詩が刊行されて、国民的な人気を得た。

独の中でこの世を去った、いまのことばで言うと「引きこもり」の人。公表した詩は生涯に四編くらいしかなかったはずです。ですから皆さんが通常お考えの、作品を広く世間に発表して人々の目に触れさせて、それで有名になっていくというような、そんな「詩人」とはまったくの逆なんですね。ボストンから内陸へ三百マイルか四百マイル離れたアマーストというところで、生涯、ほとんど家からも出なかった人でした。

孤独で、家の外にも出なくて、キリスト教のとても濃い風土の中で育ったのに、次第に教会にも行かなくなって、一人で神様とか天国と対話しているような感じの人。その、ほんものの孤独のなかで育まれた「ピュア」な心と出会うことが、まずエミリーの詩と出会うことだろうと思います。

わたくしで、はたして、うまく、紹介が出来ますか、どうか。『The Complete Poems/Faber & Faber』をわたくしは愛読しております。

これは　まだ手紙をもらったことのない
世間の人々にあてた私の手紙です
自然がやさしく厳かに話してくれた
そのままの知らせです

彼女の通信を
私の見ることのない手へと委ねます
どうか親しい皆さん　彼女への愛のためにも
私をやさしく裁いて下さい

（『エミリ・ディキンスン詩集』中島完訳、国文社刊）

This is my letter to the World
That never wrote to Me —
The simple News that Nature told —
With tender Majesty

Her Message is committed
To Hands I cannot see —
For love of Her — Sweet — countrymen —
Judge tenderly — of Me

もう一つは『ソフィーの選択』という映画で、アウシュヴィッツで苦難のときを経たポーランド出身のある女性が、アメリカに逃れてきて英語を覚えるときに、英語の勉強のためにエミリー・ディキンソンに触れたんですね。そして英語よりもエミリーの詩の心のほうに引かれるというシーンがありました。女優さんもメリル・ストリープというちょっと稀有（けう）な女優さんの、その人のしぐさ、心ばえのせいもあったんですけれども、その中で使われていたのが、この四行二連の短い詩でした。

死の床を広くつくるがよい
畏れと敬いでつくるがよい
優れて公正な審判の日の始まるまで
そこで待つがよい

褥（しとね）を真っ直ぐに
枕をふくらませよ
日の出の黄色い騒音から
この場所を守れ

Ample make this Bed —
Make this Bed with Awe —
In it wait till Judgment break
Excellent and Fair.

Be its Mattress straight —
Be its Pillow round —
Let no Sunrise' yellow noise
Interrupt this Ground —

「Be its mattress straight, Be its pillow round」。

わたくしのような乏しい英語の理解で申しましても、このBe動詞から始まる、まるで神託のような神々しい調子を帯びた、命令ですね、「ベッドを真っすぐにつくりなさい、枕は丁寧に丸くつくりなさい」。いまわたくしの声にして出して、そしてそれを聞き直してみてもわかりますけれども、思いがけず、ふっと向こう側から、亡くなった遠い御祖(みおや)、女の人がそっと耳元にささやくような、とても細い優しい、しかしであると同時に、神託というか神々しい、途方もなく遠いところからの声でもあるようなもの、そんなものがこの詩からは聞こえてきます。アメリカという存在のずっと奥のほうから、ふっと、……、神々しいといいますか、あるいは神託、神のお告げのようなそういう響きを持っている詩のあらわれを、ここに聞いておりました。

次に、おそらく、エミリーが、両の掌に、ふと、温かさを、覚えていたらしい、「気を失った駒鳥」という詩。そうでした、エミリーの詩には、タイトル、題名がついていないのです、幾つかの例外をのぞいて。考えてもみて下さい、題名がないことによって呼びかけられてくる、広がり、その空気のようなものを。それを、次の詩に読んでみましょう。

もし私が一人の心の傷をいやすことができるなら
私の生きるのは無駄ではない
もし私が一人の生命の苦しみをやわらげ
一人の苦痛をさますことができるなら
気を失った駒鳥を

巣にもどすことができるなら
私の生きるのは無駄ではない

If I can stop one Heart from breaking
I shall not live in vain
If I can ease one Life the Aching
Or cool one Pain

Or help one fainting Robin
Unto his Nest again
I shall not live in Vain.

この「気を失ったコマドリ」、fainting robin、すぐにどなたでもが脳裏に、気を失っているから動かない鳥の温かさを両の手の掌（てのひら）に感じながら、そっと、支えてあげるしぐさが浮かんでくるはずです。それと同時に、掌が感じている、この小さな生き物の鼓動の温かさへの驚き、驚異、生命の驚異というようなものも伝わってくるでしょう。

こうなりますと、序では「詩」は和歌や俳句とは違うと申し上げましたが、われわれが、俳句や歌といった短詩形文学、あるいは小説の中の一瞬の一行に心を奪われる、そうしたことにむしろ似ているのかもしれません。そうした極微的な心のありようというか、「純粋な」という言葉を使うのはとても怖い感じがしますけれども、この「しぐさ」には、何か詩が発生してくる「しるし」が見てとれますね。

　最終行「わたしの生きるのは無駄ではない」は、ほんの少しだけですが、この言葉、駒鳥がいっているようにもわたくしには聞こえてまいります。そんな「無言のしぐさ」がここからは聞こえてくるのですね。それにしても、この言葉の聴き手は誰なのでしょう？この詩を、もしかしたら読んで下さる後世の読者に、……というよりも、これは、エミリーの家のすぐ傍（そば）か樹々の間に佇（たたず）んでおられる「一なる神」さまへの伝言（つたえごと）のようだ、そう聞きたいとわたくしは思います。

　このような詩をエミリーは、誰にも見せることなくひっそりと独りで書いていたんですね。発表するつもりはないのですから、「読者の眼」なんてものはまったく意識してなくて、純粋に自分の中の「詩」のこころと向かい合っている。もしかしたら、アメリカ東海岸という、ピューリタン的風土の非常に深いなかで育ったひとでしたから、もう教会には行かなかったけれども、神さまとは独り対話をされていたのかも知れませんが、……。そういう孤独がゆえに立ちあがってくるピュアな、ある意味においては倫理的な「立ち姿」のようなものが、今ご紹介をいたしました三つの詩からは感じとられないでしょうか。

「静謐な爆弾」、エミリーの「手紙」

しかし……、

エミリーをただたんに孤独でピュアな、基本的には女性らしい優しい心持ちの詩人とだけ捉えては、彼女の作品の「核」を取り逃すことになる、そうわたくしは思うのです。

たとえば先ほどの、ごくごく小さな詩ですが、ここにも、僅かながら、しかし、決定的な「驚き」があって、life（いのち）と aching（いたみ）の頭文字、「L」と「A」が、あるいは heart（こころ）と pain（苦痛）の頭文字、「H」と「P」が、大文字になっているのです。

いかがですか、ここが異様に見えませんでしょうか。「外（そと）」の、恐ろしいような、あえていうと、貌（かお）をそむけたくなるような、そんな「しるし」が、突然、ひょっと、……敢（あ）えて「暴力」という言葉を使うことにいたしますが、そのような、何か恐ろしいものがふいと顔を覗かせた、これは、そんな紙上の景色なのです。ここにきて、どうやら、「詩」の「ちから」あるいは「暴力」の「しるし」の戸口あるいは糸口に、ついに辿（たど）りついたのだと思われます。エミリーにしても、勿論（もちろん）、無意識に、だったことでしょう、「読者」は考えられていない、「発表」も考えられてはいない、無意識の、あるいは心底の深いところで作者も超えた手によって成された、ほんものの、「しぐさ」、……。四七頁に掲載のエミリーの手稿をごらんになっていただけますでしょうか?

　エミリーというのは最初に挙げました詩で自分でも言っていますけれども、手紙のようにして詩を書いた人なんですね。「読者へ」、「これは　まだ手紙をもらったことのない世間の人々にあてた私の手紙です」と。「私の手紙ですから、どうぞ」、そんなようにして、引き出しの中にマグマを入れておいたんです。詩の持っている無言のものすごい力を手紙に例えているのです。

　この「手紙」というものも、しかしみなさま、油断してはなりません。ものすごくおそろしいものなんですよ。かつてエミリー・ディキンソンは、女性ということもあって愛すべき親しみやすい詩人として世間に紹介されたことがありましたが、とんでもない誤解です。エミリーの「手紙」は爆弾です。静謐な爆弾とでも言いましょうか、読む者の実存を震撼させるような刃を、簡潔な、親しみやすい外見の底に秘めている。そのような「爆弾」が、生前、誰にも知られることなく、誰の目にも触れることなく机の引き出しの底に隠されていた、……、「手紙」が、……ですよ。これはじつに恐るべき、「詩」にまつわるさまざまなエピソードのなかにあってもまったく稀有な事件といってもよいことなのです。

お向かいの家に、死人が出た、
ほんの今日のこと――
わたしには分かります、そういう家に
いつも生まれる――麻痺した表情から――

ご近所が忙しく出入りする――
お医者さんが――馬車で去る――
窓がエンドウ豆の莢のようにあく――
不意に――機械的に――

誰かが敷布団を抛り出す――
子供たちはあわてて通りすぎる――
この上で――死があったんかと思いながら――
子供の頃――わたしがよくそうしたように――

牧師さんが――しゃちこばって入っていく――
この家は自分のものとでもいうように――
いまは――すべての会葬者はわが配下――
おまけに子供たちも――とでもいうみたい――

それから帽子屋――
そして恐ろしい商売の人が――
「家」の寸法をとりに来る――

例の暗い行列があるでしょう――

ふさ飾りの――馬車の――行列が間もなく――
看板のように一目瞭然――
直観で分かるニュースです――
ちょっとした田舎の町の――

(『対訳　ディキンソン詩集』亀井俊介編　岩波文庫　1998年刊)

There's been a Death, in the Opposite House,
As lately as Today —
I know it, by the numb look
Such Houses have — alway —

The Neighbors rustle in and out —
The Doctor — drives away —
A Window opens like a Pod —
Abrupt — mechanically —

Somebody flings a Mattress out —
The Children hurry by —
They wonder if it died — on that —
I used to — when a Boy —

The Minister — goes stiffly in —

As if the House were His —
And He owned all the Mourners — now —
And little Boys — besides —

And then the Milliner — and the Man
Of the Appalling Trade —
To take the measure of the House —

There'll be that Dark Parade —

Of Tassels — and of Coaches — soon —
It's easy as a Sign —
The Intuition of the News —
In just a Country Town —

この詩などはどうでしょう。ちょっと不気味な印象をお受けにはならないでしょうか。

お向かいのうちから誰かが、「Somebody flings a Mattress out —」、マットレス、敷布団を放り出す。「The Children hurry by —」、子どもたちがそこを通りすぎていく、そのすがたを向かい側から家の中から見ているエミリーの目が感じられます。

もちろん不気味さの原因は、第一には、「お向かいの家に死人が出た」からなのですが、それだけには留まらない、静かな、しかしその静かな分だけより根源的なとでも言うべき「不気味さ」が、ここからは感じ取られないでしょうか。そしてわたくしが感じますのは、この詩における「不気味さ」の中心は、抛り出されたマットレス、……このイメージといいますか情景なのだということです。亡くなった方がそれまで横たわっていたマットレスが、おそらくは処分するために二階の窓から通りに抛り投げられたのですね。その唐突な、乱暴な「うごき」。本来、マットレスというものは、柔らかな、優しい性質の「物体」なのに、それが突然、中空に投げ出され、道端に転がって、そこに通りがかった子供たちが、もうびっくりして身をかわす。でもやはり、その子供の前に落下してきた、今では固い、衝撃そのものであったマットレスには、その直前まで誰かに愛された人が横たわっていたのです。この「マットレス」は、初めの引用のところで、その声が、神託のようだ、……と申し上げました、「褥（しとね）を真っ直ぐに」といわれました、あのベッドでもあるのです。その落差の暴力を目撃した瞬間のエミリーの驚きがたった今、こうしてこの詩を読んでおりますこの瞬間にも感じとられないでしょうか。

　わたくしも、大震災後の釜石（かまいし）や陸前高田（りくぜんたかた）で、大きな畳がよじれて店先に立っているようになって存在していることにびっくりしたことがありました。エミリー・ディキンソンも「Somebody flings a Mattress out ―」、「flings（放り出す、投げ出す）」、死んだ人のマットレスが投げ出されている光景に驚愕をしています。

エミリーの詩のおそろしさ

　そしてもう一点、ここで見落としてはならないと思いますのは、この「うごき」のはじまりが、なんと、「窓がエンドウの莢のように、『機械的に』あく」ということだったということです。エンドウ豆は、莢が熟すると、縦に「パカッ」と割れて中から豆が飛び出して地面に落ちるのですね。そうやって植物としてのエンドウは繁殖していくわけですが、その熟した莢が突然、割れる動きに窓が開かれる「うごき」がなぞらえられているのです。つまりこの窓は両開きに開かれる窓なのですね。唐突に、お二階の窓が「機械仕掛けのように」パタンと大きく左右に割れる、で、「え？」と思うと、そこから、なんと、マットレスが抛り出される、その連続した、むしろ粗雑なといったほうがよいような、ぎくしゃくとした、唐突な、「うごき」、そんな場面をこの詩からは想像することが出来るようです。

そしてまたさらには、エミリー自身、すなわち詩人の眼は、窓の奥にあって、その光景を見つめている、……。

この情景を見つめている、……そのような冷徹な「まなざし」の存在を、この詩全体からは感じ取られないでしょうか。むしろはっきりと「冷たい」と言ってもよいような、この世のものではない、どこか別の世界から人間の暮らしをじっと見つめているようなまなざし。それもまた、エミリーの詩のあらゆるところに遍在する、エミリーの作品の魅力であり、またその詩を「おそろしく」しているところのものでもあるのです。

そしてどうぞここに転載をいたしましたエミリーの手書きの原稿の「——」（ダッシュ＝dash、あるいはハイフン＝hyphen、あるいは*t*の上の棒の驚くようなノビ方）をご覧下さい。「サッ」とペンで、一気に、むしろ荒々しく引かれたこの線、この手つきは、優しい、自然に親和的なとされることがたびたびの、この女（ひと）のイメージを裏切って、筆跡の呼吸が、じつに、ほとんど、奔放という形容さえも超え、むしろ攻撃的な、あるいは禍々（まがまが）しいとさえ言っても言いすぎではないような、まぎれもない、「むこうがわからのおそろしい暴力」から来ているものであることを、印象づけられることでしょう。こうしていますと、「読む」ということも、別種の光を帯びてきます。大変な力が差して来ています。

たしかにエミリーには優しく親しみやすい作品も沢山あるのです。そのような作品もご紹介してゆきたいのですが、やはり簡潔な表現の中にどこか恐ろしさ、……この「恐ろしさ」には詩の「深さ」へとつながってゆく何ものかをわたくしは感じ取っているのかも知れません、……の、感じられる次の一篇を引きまして、エミリーの項を終わりにしたいと思います。

わたしは葬式を感じた、頭の中に、
（……）
そしてわたしと、沈黙は、よそ者の種族となって
ここで、孤立して、打ちくだかれた――

それから理性の板が、割れてしまい、
わたしは落ちた、下へ、下へと――
そして落ちるごとに、別の世界にぶつかり、
そして――それから――知ることを止めた――

II

Ample make this
Bed
Make this Bed
with Awe
In it wait till
Judgment break
Excellent and Fair

Be its Mattrass
straight
Be its Pillow round
Let no Sunrise'
Yellow noise
Interrupt this Ground.

エミリー・ディキンソンの手稿（“Ample make this bed—”）

I felt a Funeral, in my Brain,
(……)
And I, and Silence, some strange Race
Wrecked, solitary, here —

And then a Plank in Reason, broke,
And I dropped down, and down —
And hit a World, at every plunge,
And Finished knowing — then —

お葬式が頭の中にあらわれてきた。ところが、わたしと沈黙は、「And I, and Silence」、この「沈黙（silence）」の「S」も大文字ですね、「some strange Race」、不思議なよそ者の種族になって、つまりみなから「のけ者」になって、「孤立して」「solitary, here —」、そして「Wrecked」、難破してしまう。「難破し（wrecked）」の「W」も大文字。この最初の二行には、根源的なレヴェルにおける「存在からの疎外」、……そのような、深い、そして途方もなく恐ろしい事態が簡潔に提示されています。

次の行、「Plank in Reason」の「Plank」っていうのは、踏み板みたいなものですね。これはエミリー・ディキンソンのキーワードの一つですけれども、まあぐらぐらした危なっかしい飛び込み板みたいな、板の端っ切れ、すなわち理性の板っきれ。もしかしたら、これはわたくしたちの存在の「底板」のようなものかも知れない。それが絞首台の床板のようにぱっくりと割れてしまい、わたくしたちにはもう何も「支え」がなくなってしまった。それで果てしなく「下へ、下へ」と落ちてゆく、途中で何かに「ガクン、ガクン」とぶつかりながら、……そしてそのときにもこの「ハイフン」とも「ダッシュ」ともつかないような信号が送られてきます。

それから「And hit a World,」、底まで行って、「at every plunge, / And Finished knowing ― then ―」、世界の別のところにぶつかって、そしてわたくしは、ついに知ることをそこでやめてしまう、そういうところまで、この詩はいっているんですよ。

ここには、非常に簡潔な、短い詩行の中に、人格の解体、あるいは肉体の崩壊をさえもかけて極点を目指す、詩の根源的な「身振り」が端的に顕れております。もうこうなると「カタストロフィ」という言い方なんかをしてはいけないかもしれないような、言語が断裁化されて、空白化して、そこではじめて宇宙の別の層があらわれてくる、そのような「詩の深み」の一端が、この詩の中には瞬間的にちらっと貌を覗かせたように思います。

第二章　「戦後詩」という課題

敗戦国という経験から

さて、第一章でもういきなり「詩の本質」と言ってもよいような「深み」にさわるところにまで、少なくともその「とばくち」にまで、来てしまったようですけれども、この第二章では少し趣向を変えまして、このようなテーマでお話しをさせて頂こうと思います。

太平洋戦争の敗戦によって、おそらく当時の日本人は、……その中には幼かったですけれどもわたくしも含まれておりますが、……原爆などの癒やしがたい「傷」とともに、もうどうしようもない「恥」の感覚を植えつけられてしまいました。この敗戦という、実存レヴェルでの屈辱、「恥」の感覚。あるいは「核」という未知の原罪、……。さらには無邪気にそれまで信じていた価値の崩壊、そしてそのようなものを信じていた自分というものに対する根本的な「恥ずかしさ」……そんなさまざまな「恥」の感覚、あるいはなんと言いますか、一種もうどうしようもない「もどかしさ」という感覚が、この時代に生を受け、「戦後」になってあらたに詩の世界に登場した人びとの心の奥底には伏流をしているような気がいたします。

これは、戦争が根源的な悪であり、また先の大戦が「侵略戦争」であったとされることとはまったく次元を異にすることとです。そのような表面上の善悪、……もちろん、それも大事なことですけれども、……も越えたところで、敗戦国の国民であるということには、やはりいいようもない「屈辱感」があるのではないでしょうか。そして実存が受けたそのような傷は、決して癒やされることはない。当然、「作品」にもその「しるし」は刻印されることでしょう。おそらくそれはこれから挙げて参ります、田村隆一さんや吉本隆明さんや吉岡実さんといった方々だけではなく、例えば三島由紀夫のような、政治的立場としてはまったく逆の位置にあった方にも共通して通底する、ある「感度」なのだろうと思います。

例えば、わたくしの卑近な経験でいいますと、戦後すぐ、わが家でも生活が行き立たなくなって、「オンリーさん」、……米兵の「愛人」をしていらっしゃるかたですね、……に部屋をお貸ししたんですね。そうするともう、真っ昼間っから米兵がその「オンリーさん」をわが家に訪ねてきて、ベッドで戯れているんです。子供たちには丸見えなんですけどね。そんな屈辱的な経験を、敗戦国の国民というのはしなきゃならないわけです。これからご紹介をいたしますいくつかの詩篇の背景に、そういった卑近な、しかしリアルな細々とした実経験があったことをご想像していただきますと、時代の持ちます「濃度」といいますか、そのようなものが「詩」のこころに与えた影響が、ご理解頂けるのではないかと思います。

田村隆一と「黒い武蔵野」

このようなタイトルを有ちます第二章でわたくしがまず取り上げてみたいと思いますのは、田村隆一さん、日本の戦後詩の一つの極点を示した人です。序でも申し上げましたように、第二次世界大戦を経まして、「詩」の姿は完全に変わってしまった、……というのがわたくしの考えです。「詩」はもはや、それ以前のような在りかたでは成り立つことができなくなってしまった。アドルノが、「アウシュヴィッツの後で詩を書くのは野蛮だ」と言いましたけれども、そのことにも、これは通底する認識ではないかと思います。

田村隆一さんは、戦争の余韻未だ さめやらぬとき、戦場での砲声や軍人の怒号や、あるいは硝煙が、あるいは戦後すぐの焼け野原の中の貧しさがまだすぐそこに残っているようなときに、『四千の日と夜』という詩集の中でこう語りました、「一篇の詩を生むためには、／われわれはいとしいものを殺さなければならない／これは死者を甦らせるただひとつの道であり、／われわれはその道を行かなければならない」と。

一篇の詩が生れるためには、
われわれは殺さなければならない
多くのものを殺さなければならない
多くの愛するものを射殺し、暗殺し、毒殺するのだ

見よ、
四千の日と夜の空から
一羽の小鳥のふるえる舌がほしいばかりに、
四千の夜の沈黙と四千の日の逆光線を
われわれは射殺した
(……)

(田村隆一「四千の日と夜」)

つい最近、目にしました、大変高名な詩人の鑑賞で、「こんなふうに言うけれども、果

*田村隆一(一九二三〜一九九八)——詩人・エッセイスト。一九四七年に鮎川信夫らと詩誌「荒地」を創刊し、戦後の現代詩を牽引した。推理小説の翻訳も手がけて、戦後のミステリーブームの立役者のひとりともなる。晩年は軽妙なキャラクターが人気を呼び、テレビ出演が相次ぎ、コマーシャルにも起用された。詩集に『四千の日と夜』、『奴隷の歓び』など。

たして詩とはあらゆる愛するものを犠牲にするに値するほど私たちの生にとって貴重なものであるか。誰もがそうした疑問を持つに違いない」と、この詩に対して疑問を呈してらっしゃるのを目にしました。

そうした鑑賞に対して皆さんに、わたくしなりにお伝えしてみたいことは、この詩の中から聞こえてくるのは詩人の声ばかりではなくて、詩人の心が深いところで忘れがたく聞いている周りの声、戦場での軍曹や伍長さんや、あるいは二等兵、一等兵、兵隊さんの声もその中にはあったでしょう、あるいは叫び声もあったでしょう、非常に深い時代の悲痛な声であったはずだということです。そういう、「向こう側」からやって来てしまった、あるいは漏れて来てしまう、声を、詩人の耳が聞いてしまって、その声を聞き取った詩人の中の声が、今度はこういう「記憶せよ」とか「聞け」という、命令形の忘れがたい形となってここでは発話されているのです。田村隆一さんには、耳の奥に残るそのような声を聞き取ってその「別の声」を引きだす「力」がありました。戦後の歴史の一つの瞬間が、このような詩法を通してはじめてこの世に登場したのです。

「いとしい者を殺す」ことが「死者を甦らせるただひとつの道」だと詩人が言っていることを見逃すわけにはいきません。もっとも大事な者と引き替えにしか、死者を甦らせることはできない、……いや、果たしてその引き替えでも、やはりそれは不可能ではないか、……しかしそれでもわれわれは「その道を行かなければならない」、そう詩人は言っているのです。しかも、ここにこそ詩の核心があるのですが、「小鳥のふるえる舌がほしいばかりに」、ここでわたくしたちの心にも、詩のちいさな細い通路がひらくのです。

その意味では先ほど呈せられました疑問は、やはり少し射程が短いのではないでしょうか。ここには大戦争という、一般人には大災厄としか言えないような未曾有の経験、本章の主題で言いますと、「絶対的な断絶」の体験をした者としての詩人の恐怖、苦悩、痛みと綯い交ぜになった、しかしそれでもなおそれに抗して、本章のキーワードで言いますと、「もだえ」、「身をよじらせ」ながら、一つの、聞こえない「声」をなんとかして立ち上がらせようとする、ある倫理的な「態度」を読みとるべきではないでしょうか。

田村さんには、田村さんでないと言えないようなある恐怖に基づいた直観があるのですね。いま引用をいたしました詩にもバックグラウンドとしてその恐怖は遍在をしているようにわたくしには感じられるのですけれども、その恐怖がもっと直截に、まさにダイレクトに顕れているのが、次にご紹介をいたします、「保谷」という詩の中の、「黒い武蔵野」という言葉です。

保谷はいま
秋のなかにある　ぼくはいま
悲惨のなかにある
この心の悲惨には
ふかいわけがある　根づよいいわれがある

灼熱の夏がやっとおわって
秋風が武蔵野の果てから果てへ吹きぬけてゆく
黒い武蔵野　……

この「黒」は、ゲルマンの森とか、そういった一般的に言う「深い」と言われているような「黒」のことではないんです。そういうんじゃない。こうもり傘の色や、傷痍(しょうい)軍人がうなだれてる姿のような、戦後しばらくしてからの時代には、むしろありきたりと言ったほうがよかったようなもの。ただしこの「黒」はやはり、戦後のある極点から来ているのです。この「黒い武蔵野」という詩語は、田村隆一の詩心を貫いて飛び込んだ光、そうなのです、こうやって、飛び込んで来ているものなのです。不意に、……これが「直観」の

「炎」でしょうか……。そしてわたくしたちも、わたくしたちの「みえない心」が、その「飛び込み方」に驚くのです。

……沈黙の武蔵野の一点に
ぼくのちいさな家がある
そのちいさな家のなかに
ぼくのちいさな部屋がある
ちいさな部屋にちいさな灯をともして
ぼくは悲惨をめざして労働するのだ
根深い心の悲惨が大地に根をおろし
淋しい裏庭の
あのケヤキの巨木に育つまで

ここには余人では言えない、田村隆一だけが感じ続けている「恐怖」がある。この「黒いもの」、そして「沈黙」は、ほんとうに田村さんのなかにあるのです。引用の五行の、五回も繰り返されます「ちいさな」を聞き取ることが叶うのか、どうか、ここに詩の心が

武蔵野のケヤキ

隠されています。そうして、それがただ単に「思想」のことばとしてではなくて、「黒い武蔵野」という未知の「詩」のことばとなって登場をした、そこに詩人の真面目はあるのです。田村さん自身も意識的ではない、非常に深い詩の血脈が、このときに現れたのです。

こういう、ある詩的な観念の抽象度の冴えが田村さんという方はすごいんですね。わたくしは、それに非常に惹かれておりました。吉本さんもおっしゃっていました、田村隆一という人の声音というか命令口調というか、そこにはどこにもないような、途方もない声の垂直性があると。実際、田村さんには「おれは垂直的人間／おれは水平的人間にとどまるわけにはいかない」(「言葉のない世界」)という詩行もあります。この「水平的人間」にはとどまらない「垂直性」へのこだわりにも、田村さんの「倫理」が感じとられます。

田村さん、あるとき武蔵野で、ケヤキを見てわたくしにおっしゃったことがありました。「吉増、わかるか、おまえ、あの木、あれは武蔵野の水が立ってるんだぜ」。そういうものが詩になってきて、「黒い武蔵野」の中で田村さんの肉声とともに詩の中で巨木が立っている、これはやっぱりすごい詩です。

吉本隆明の「根源乃手」

では次に、亡くなられてほぼ十年、わたくしが「詩とは何か」を語る際に、どうしても避けては通ることができないと思っております、巨大な思想と詩の革命者であった吉本隆明さんに触れてみたいと思います。

初めの驚きは一九六八年だったと思います。長い詩を書いて、それを持って当時、駿河台(するがだい)にありました河出書房新社の『文藝』の編集部に届けましたときでした、編集者が、「ほら、吉本さんの原稿はこんなふうだよ」と、小鳥か凧(たこ)のようにして、吉本さん手書きの小さな原稿をひらひらと見せてくださった。その原稿というのが吉本さん、紙切れにご自身の手で罫線(けいせん)を引かれたものだったのです。それも定規できっちりではなく、「さっ、

*吉本隆明(一九二四〜二〇一二)——詩人・評論家。六〇年安保後に全共闘運動に関わって「自立の思想」を標榜して精力的に言論活動を行い、『共同幻想論』や『心的現象論序説』など、大きな影響力を持つ原理論の著作を生んだ。また「大衆の原像」という概念を重視して、『マス・イメージ論』などを執筆した。多くの論争を行ったことでも知られる。「戦後思想の巨人」と称される。

さっ、さーっ」と、フリー・ハンドで縦線が、ぎっしりと引かれていました。そしてご自身の手で引かれたその縦線の細い罫と罫の間に文字を書き込んでいらっしゃったのですね。紙に吉本さんがご自分の手で引かれたその罫への驚き、シャワーか野の草の茎(くき)のように、……そうでした、匂いがしたのですね、野原の、……それがわたくしの初めての吉本経験でした。後年、実際にお会いしてみると、お会いしたのはある舞台の裏でした、一九七一年だったかな、そのときに、しきりに周りのものに触れていらっしゃった。ああ、この手があの「さっ、さっ、さーっ」の線を引かれた「根源乃手」なんだなと思ったのでした。

そしてさらに展開をいたしますと、この「根源乃手」というものは、いわば「手のうごきのさなかにおこること」の文字通りの手探りの、「手元性(てもとせい)」というものの追求なのですね。これは「即興(ハプニング)」を念頭に置いて考えてみることですが、吉本隆明氏の場合には、若きときに接した量子力学（吉本さんは学生時代に優れた数学者でありました遠山啓氏の謦咳に接しておられましたので、こちらの方面への知識もそうとうにおありになったはずなのです）が決定的でもありますので、ミクロの微細な世界のそよぎにまでその射程は及んでいて、……そうか、こうやって考えてみますと、あの詩作時に引かれる罫線は、この、「世界を計測するしるしのとき」であったのかも知れません。

吉本さんの詩をこれからご紹介してみますが、これは二十六、七歳のときでしょうか、戦後まだ四、五年のときですね。もう全てを根底からつくり直さなければならない、自己否定を含めてですよ、そのような状況に直面したときに、一年で五百篇くらい、誰に見せるのでもない、ここが大事なところですが、……エミリーと同じですね、……「原わたし」と言いますか、あるいはむしろ「原世界」でしょうか、そのような向こう側、裏側から聞こえてくるような、詩作を通してしか捉えられないようなものに対して、毎日毎日、手を動かして、砂の上か野原の茎に手を触れて、この時には定規も使われていらしたと思うのですが、まずは巨大な楽譜をつくるようにして、……ではありませんね、手が、そう、手がですね、紙の上に罫を引いて、それをきっとしばらく見詰めてでしょうね、この罫は誰が書いたかわからない、……というふうにおそらくはつぶやかれながら、ほんの刹那の直観のようなものを、あえて記しておこうと思いますが、ここで吉本隆明さんは、先程引用をしました田村隆一さんのようには、「一篇の詩が生れるためには」とは決していわない。むしろ、それを〝いわない〟という決心というのでしょうか、根のようなところでの心のうごきがたしかに感じられるのです。そうして書かれ始めたのが『日時計篇』という、ほぼ五百篇ほどの詩だったのです。

その『日時計篇』の冒頭の詩篇を今、引用して読んでいただきますけれども、

〈日時計〉

れんげ草が敷きつめられた七月末頃の野原で　ぼくらは日時計を造りあげたものだつた
ぼくらといふのは病弱な少年と少女たちであつた
いまは午睡と新鮮なミルクの味と　衛生講話としか覚えてゐないが　そのときぼくは
ひたすらに自らが病身と呼ばれることを嫌悪し　かくれるやうにしてゐたと思ふ
日時計の文字盤はれんげ草の敷物であり　アラビヤ数字は花々を編んで少女たちが
こしらへあげた団杖とよばれる　武技のための杖をぼくらは中心に直立させた　子午
線上を日の圏は燃えながら通つていつたし　ぼくは家へ帰りたさをこらえながら　何
のために見知らぬ少年や少女たちと一緒に日時計を見守つてゐなければならないかを
疑はしく思つてゐた
そうして長い間　ぼくは承認しなかつたと思ふ　自らが病弱であるといふことについて

しかもあの日時計を造り上げた夏の気恥しさは　異つた質にかへられたComplexとしてながくぼくのこころを占めてゐたのだ
それでしばしば　自らが正常なものの世界に加へられてゐないといふ意識の痕跡があの夏の日　同じ野原で何の拘束も与へられず　日時計のやうな知慧と羞恥に伴はれた遊びではない昆虫採りなどに駈けまはつてゐる子供達に対してぼくが抱いてゐたあの感じのうちにあることを知つた

少女と少年たちがれんげ草でつくる日時計、音読していますと、吉本さんはこの日時計をつくった少年少女たちとの思い出を語りながら、思い出を語るその近さと触手と匂いそれ自体の中にある、ある逃れようのない恥ずかしさ、「夏の気恥しさ」という言い方をされています、子供のようなというよりも赤子のような、……それを一心に記述していらっしゃることがわかってきます。読みながら、ふっとわたくしにも覚えがあります。最近はあまり目にしなくなりました。いや、時々目にするかな。海軍旗に、日章旗とは別に日輪の波頭か汐風の一瞬のような輝かしい図像がありますよね。あの像が浮かんできていました。

そんなときの何とも言えない恥ずかしさ、「気恥しさ」というのが吉本隆明さんの詩の

211　1

〈日時計〉

一

れんげ草が敷きつめられた 青木坂の野原で、ぼくらは日時計を造り
あげたものだつた ぼくらといふのは無防な少年と少女たちであつた
いまは遠き午睡と新鮮なミルクの味と、衛生講話といふ覚えてゐないが、
そのときぼくはひたすらに自らが病身と呼ばれることを嫌悪しかくれる
やうにしてゐたと思ふ
日時計の文字盤はれんげ草の敷物であり、アラビヤ数字は花々を
摘んだ少女たちが、こしらへあげた 円形 枝とよばれる、武技の古への杖を
ぼくらは中心に直立させた 子午線上を日の翳は燃えながら通つて
ゐつたし、ぼくは気へ眺りたすをこらえながら、何のために見守る少年や少女等
たちと一緒に日時計を見守つてゐなければならないかを疑はしく思つてゐた
そうして長い間、ぼくはよく親しまなかつたと思ふ 自らが病弱であるといふ
ことについて、しかもあの日時計を造り上げた夏の気恥しさは、異つた
度にかへられた complex として 永くぼくのこころを占めてゐたのだ
それでしばしば自らが正常なものの世界にかへられてゐないといふ意識の痕跡が、
あの夏の日、同じ野原で何の約束もなしにわれ、日時計のやうな無知と羞恥
に伴はれた遊びでは無い昆虫採りなどに駈けまはつてゐる子供達に接して
ぼくが抱いてゐた あの感じのうちにあることを知つた

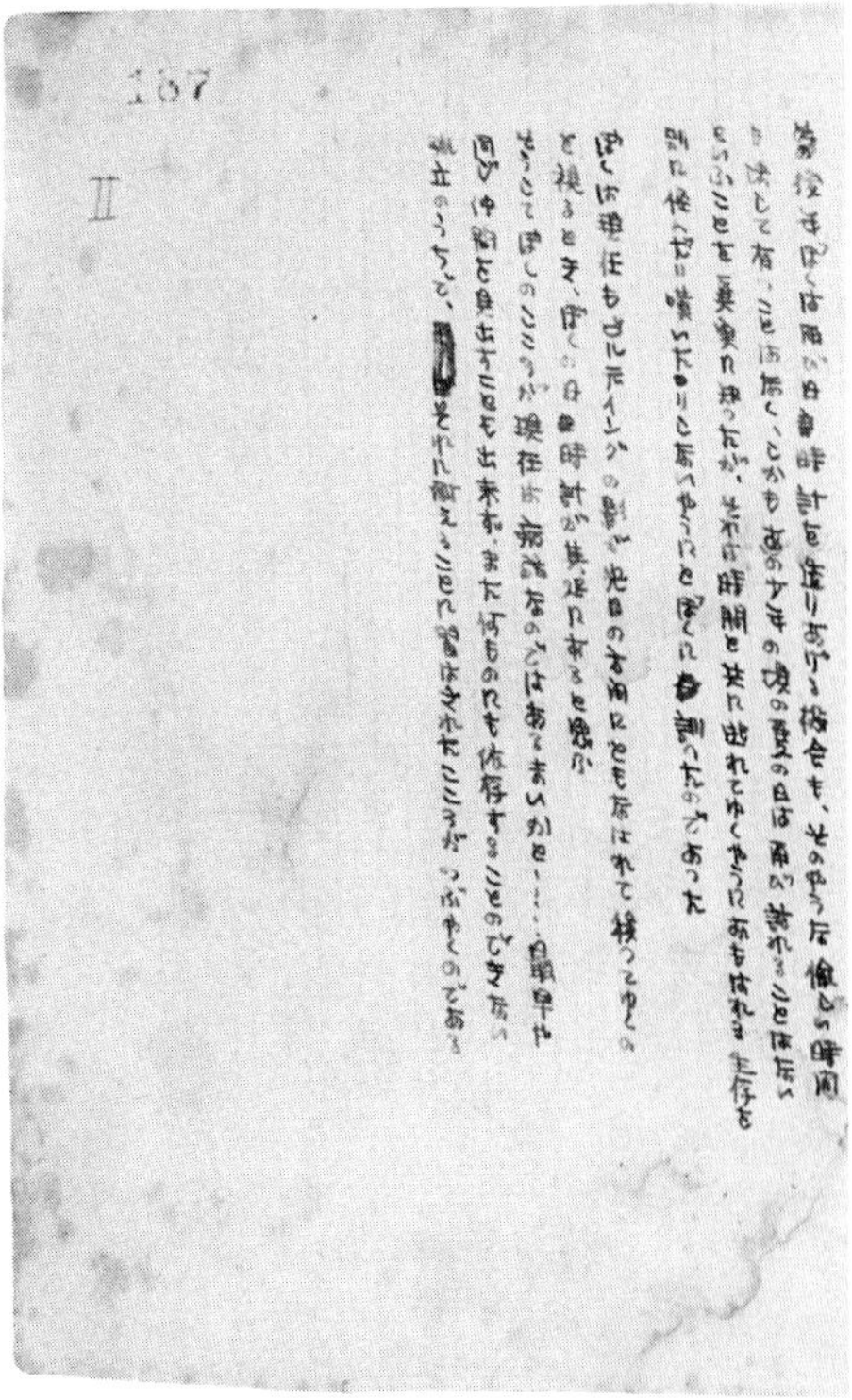

吉本隆明『日時計篇』（1950年　日本近代文学館蔵）

根源にあるもの。それを回想していらっしゃる。それを、一年半かけて、詩を書くというんじゃないんですよ、その「気恥しさ」の声の根を探っていく「根源乃手」の働き。それが、この吉本隆明さんという人の詩作なんですね。

不思議な音楽が聞こえてきますよね。詩人自身が回想の中でさまざまに織り込まれた過去の時間と、たった今の時間と、未来の時間と、それから吉本さんという人は、お母さんのおなかの中で九州の天草から海を渡って東京の佃にやってきた胎児でしたから、そうした海の深い記憶の回想の風と泡立ちとが、その影のようなものの騒ぎも一緒に深く深く織り込まれています。それを読み込んでいくわけです。

しかし、なぜ吉本さんはそんなにも「気恥しさ」を感じていらっしゃるのでしょうか。

やはりその背景には、ご自身の個人的な、であると同時に当時の日本人全体に共通するものでもあったはずの秩序、戦い、そして敗戦という「経験」があったはずです。

この詩の中には「ぼく」の「病弱」を示唆することばがさりげなくちりばめられております。この「病弱」を恥じるということにも、現在とは異なったニュアンスが感じられます。当時の価値観でいえば、「いい兵隊」になれないということをそれは意味していたはずです。つまり「お国のため」に役に立たない。このことを考えながら、二十行程前で、わたくしは不図、「子供のようなというよりも赤子のような、……」と綴ってみて、はっと、このいわくいい難い「赤子性」といいますか、「胎児性」といいますか、そのようなものに気がついていました。当時の子供としての、あるいは「赤子」の吉本さんは「病弱」を認めたくなかった、でもしかしそれは、結局「軍国主義」という同じ価値観を吉本さんもまた他の人びとと共有していたということなのですね。もちろん吉本さんは単細胞に当時の価値観に自己同化していたわけではなかったでしょう。「自らが正常なものの世界に加へられてゐないといふ意識」をつねに抱いていて、この奇妙な儀式の間にもずっと「帰りたい」と思っていた。でもどうでしょう……もしも他の男の子たちのように吉本さんも「健康」だったとしたら。それでも吉本さんはこの奇妙な「遊び」から同じく距離を置いていることができたのでしょうか。そこは微妙だと思われます。ここからは、そのような、非常に微妙なアンビバレンツ、わずかな痛み、性の、傷のような、掠(かす)れたものを、その僅かな余地を読みとることが大事でしょう。

　ここでの「気恥ずかしさ」にはそのような「もどかしさ」、「居所のなさ」も同時に含まれているように、同じ時代の空気に少しでも触れていた者として、わたくしには思われてくるのです。

　これはやはり敗戦という経験がないと書かれなかった詩だと思います。経験をそのまま「写して」も、むろん詩にはなりませんけれども、まったく実存が揺り動かされるような経験がないところから「ほんものの」詩が立ち現れることはやはりない、……わたくしのような者が申し上げますのはいささか口幅(くちはば)ったいような気もいたしますけれども、ここにはやはり一点の、「詩を書く」ということにおきます「真理」の場があるような気がいたしております。

こうしたことが、例えば、後年に書かれた『記号の森の伝説歌』という、これは傑作といってもよい詩篇ですけれども、それの冒頭の「舟歌」で、この、なんともいいようのない「もどかしさ」、「居所のなさ」が、不図、詩の言葉として出現するという奇蹟的なことが起こるのです。

ずっと太古に
視えない空のみちを
鳥と幻だけがとおれた
幻はすばやく　鳥はおそかったので
鳥は足なえてあえいだ

この五行から始まるんですけど、ずっと太古から、この太古の感じというのは、自分が経験した少年、青年時代、それよりもさらに太古の母の体内にいたときの太古。そして、その種を植えつけた父母の経験したこと。波立つ九州は天草の、南の多島海の世界、沖縄からさらには超アジアにまで届くような、そうした深い時間感覚がありますが、ここで、「幻だけがとおれた」、すなわち、わたくしたちが持つ回想や幻想の力はすっと通れたけれども、「鳥は足なえてあえいだ」。この鳥というのは、もしかしたら生物全般であるかもしれない、お父さんであるかもしれない、おじいさんであるかもしれない、そういった具体的なものですよね、そういう「生きたもの」のほうは、やっとのことでかろうじてしか通ってゆくことができなかった。それを「鳥は足なえてあえいだ」と、ほとんど奇蹟的な喩となって提示されているのです。ここが詩の謎をつくる不思議な魅力的なところなのです。そして、「足なえて」がいつまでも心に残るのです、……「足なえて」が「気恥しさ」でもある、ここに詩の謎があるのです。

吉本隆明さんという人は独力で、自分の通過してきた時代と、それから太古から続く時間の波のような、あるいは心に綯われていく糸みたいなものに語りかける道をこうして手を波のようにして開いていったんですね。そしてこの「足なえの鳥」の姿にも、先ほどの詩にも通じる「もだえ」の感情、その「余地」が傷口となって、密かに、小さな通奏低音のように響いているのではないでしょうか。

こういう鳥の姿をつくり出した、恐らくまだ誰にも感じられてないような戦後というものの、深い、暗い心の気恥ずかしいあえぎ、足なえ、これを単純に敗北とかそういうふうに言ってはいけない、しかし紛れもなく心に傷を負った存在が、それでもなんとかしてその心が表現をしようとして何かの戸をそっとたたいている、……そのような、詩が別の詩の未知に問いかける、「詩」に尋ねるということが、ここでは起こっているようにも思われます。

吉岡実と「痛苦」

次は敗戦後の、吉本隆明さんが評論の巨人だといたしますと、詩の恒星のような位置にあるというふうにわたくしは思います吉岡実さんの詩に、わたくしなりにさわって、言葉にしていきたいと思います。吉岡実さんのこの「死児(しじ)」というのは長い詩ですけれども、驚くべき始まり方をしております。

大きなよだれかけの上に死児はいる
だれの敵でもなく
味方でもなく
死児は不老の家系をうけつぐ幽霊
もし人類が在ったとしたら人類ののろわれた記憶の荆冠
永遠の心と肉の悪臭
一度は母親の鏡と子宮に印された

美しい魂の汗の果物

（……）

第一行目が、「大きなよだれかけの上に死児はいる」。目で見ながら歌うように音声化してみましたときに、そこに生まれる声の言葉の音楽的な磁場みたいなものにまず驚かされます。「死児」という文字面も驚くべきものですが、それを「シ・ジ」と発音したときの違和感、恐ろしさにも、それに劣らぬ大きなものがあります。

そして「大きなよだれかけ」、こんなことはあり得ないわけですよ。まるで巨大なカーテンかじゅうたんのようなそういうものの像が浮かんできて、そこの「上に」、これが語気が少し揺らいでいて、「上に」というのは、普通は経験的に言いますと、そこに赤ん坊の顔が上のほうにのぞいているというふうにもとれますけど、その「上」という字と「大きい」という言い方で読んでみますと、視覚的に見たときとは全く違う驚きが生じてきま

＊吉岡実（一九一九～一九九〇）――詩人。戦後しばらくして刊行した詩集『静物』や『紡錘形』はモダニズム系の詩風だが、『サフラン摘み』でそのスタイルの熟成を示した後に、大きく変貌した。土方巽の畸形的な言葉の毒素に感染したように、キッチュで神話的なイメージを倒錯的なシニフィアンで造形された言語作品として生み出されたのが、晩年の詩集『薬玉』であり『ムーンドロップ』である。

す。

「誰の敵でもなく、味方でもなく、死んだ子供、死児は不老の、老いない」、……読んでみて、言い直してみて、驚くべきイメージも浮かんできますね。あり得ないことを書いてるんですね。「(死児は)不老の家系をうけつぐ幽霊」、あり得ない死んだ子が老いない家系を、不可能の不可能ですよね。しかもそれが幽霊だという。

死児は不老の家系をうけつぐ幽霊
もし人類が在ったとしたら人類ののろわれた記憶の荊冠

あり得ないものですけれども、こうやってたどってくると、詩がつくられていくときのきらめき、ひらめきがわかります。「永遠の心と肉の悪臭」、いい香りではなくて、悪臭の中に音楽がある。

一度は母親の鏡と子宮に印された／美しい魂の汗の果物

この「死児」、すなわち生まれることに失敗した子供というのは一体何なのでしょうか？

非常に隠喩としての洗練度の高い作品ですので、具体的な一つの解釈を強いることは、かえって詩の「品格」を貶(おとし)めることになるのではないかと虞(おそ)れますが、一つだけ少なくとも言えることは、この詩には濃密な死の影が、……腐臭とともに、……漂っているということです。そしてその死とは、本章で最初から申し上げておりますように、抽象的な死ではなく、大戦争を閲(けみ)した時代を背負っている、具体的な個々の死なのだろうと思うのです。そういったものをすべて包含した禍々しい存在としての「シ・ジ」が、ぼうっと「よだれかけ」の上にいる。ここにこの詩の戦慄があります。

さらに、戦慄すべきことのように感じられますのは、前の項の吉本隆明氏の折りに述べました「気恥しさ」の感覚が、ここでは、吉岡実氏の世界では、どうやら、通用をしないらしい、……ということです。ここにはさらに厳しく、そして恐ろしい、別の宇宙があるのです。そしておそらくはその宇宙の背後には、実際に一兵卒として戦争に参加した吉岡さんの、吉岡さんしか経験することのなかった、おそろしい「リアル」が横たわっているのです。吉岡さんと、その時代には「れんげ草で日時計」を作っていた吉本少年との、世代差による「感度」の差違、……詩作品を実人生に帰するのは、むしろわたくしといたしましては避けたいのですが、それでもやはり、戦争というものに対する経験の質の差をここには感じとらずにはいられません。
おそらくはこの「傷」の質というものが、個々の詩人の「戦後詩」の性格を決定づける大変重要な要素となっているのではないでしょうか。

吉岡さんという方は、あんまり私生活的なこととか、あるいは思想的なこととか、そういうことには触れられない方でした。むしろ、詩とか俳句とか短歌の形式の中でその極限的な美を体現しようとされていた。この「死児」という詩のもつ豊かな隠喩性は、「生(なま)な」体験を昇華させ、作品の中のみで完結させたものとしては、吉岡さんの作品の中にあっても最高の一つだとわたくしは評価をしています。しかしそんな吉岡さんにも、「生(なま)」がほとんど生のままで出てしまったかのような、通常の吉岡さんのイメージを覆す作品があるのです。それが「輜重兵(しちょうへい)」としての経験を重ねあわせた「苦力(クーリー)」という作品です。

輜重兵というのは馬や荷物を扱う兵隊です。吉岡さんは東京の下町の生まれで、大学で勉強されたのではなくて、印刷所の丁稚(でっち)奉公から仕事を始められた方なんですね。ですから徴兵されて、一兵卒として満州(まんしゅう)に派遣されました。その出征してらっしゃったときに書かれたのがこの詩なんです。吉岡さん自身もそのことに触れられているくらい特異な、あるいは特筆すべきこの詩は「苦力(クーリー)」。「苦しい力」と書く、こんな詩です。

苦力

支那の男は走る馬の下で眠る
瓜のかたちの小さな頭を
馬の陰茎にぴったり沿わせて
ときにはそれに吊りさがり
冬の刈られた槍ぶすまの高粱の地形を
排泄しながらのり越える
支那の男は毒の輝く涎をたらし
縄の手足で肥えた馬の胴体を結び上げ
満月にねじあやめの咲きみだれた
丘陵を去ってゆく
より大きな命運を求めて
朝がくれば川をとび越える
馬の耳の間で

支那の男は巧みに餌食する
粟の熱い粥をゆっくり匙で口へはこびこむ
世人には信じられぬ芸当だ
利害や見世物の営みでなく
それは天性の魂がもっぱら行う密儀といえる
走る馬の後肢の檻からたえず
吹きだされる尾の束で
支那の男は人馬一体の汗をふく
はげしく見開かれた馬の眼の膜を通じ
赤目の小児・崩れた土の家・楊柳の緑で包まれた柩
黄色い砂の竜巻を一瞥し
支那の男は病患の歴史を憎む
馬は住みついて離れぬ主人のため走りつづけ
死にかかって跳躍を試みる
まさに飛翔する時
最後の放屁のこだま

浮ぶ馬の臀を裂く
支那の男は間髪を入れず
徒労と肉欲の衝動をまっちさせ
背の方から妻をめとり
種族の繁栄を成就した
零細な事物と偉大な予感を
万朶の雲が産む暁
支那の男はおのれを侮蔑しつづける
禁制の首都・敵へ
陰惨な刑罰を加えに向う

この短い四十行ぐらいの詩の中に、「支那の男は走る馬の下で眠る」、「支那の男は毒の輝く涎をたらし」、「支那の男は巧みに餌食(じしょく)する」、「支那の男は人馬一体の汗をふく」、「支那の男は病患の歴史を憎む」、「支那の男は間髪を入れず」、「支那の男はおのれを侮蔑しつづける」と、何度も「支那の男」ということばが出て来ます。つまりこの詩の巨大な音律の根が「支那の男」なんです。

思い切って申し上げたいのですけれども、わたくしは、吉岡さんの、芸術至上主義的な、細工をつくるような詩は嫌いだった。だけどここへ来たらもうとんでもない感じになっちゃった。ここには、死の深みに触れているところがある。こういうことをこそ大事にしなきゃいけないのです。

おそらくこの詩を吉岡さんに書かせたのは、「苦力」、……「苦」、「力」というこの二つの文字の力だったのです。「苦・力」、……この二つの「漢字」の組み合わせからは、何かこう、根源的な苦しみのようなものが伝わっては来ないでしょうか。アルファベットではない、象形文字としての漢字の力ですね。この二つの「漢字」はもう眼に飛び込んでくる、そしてその力がバネのようになって、「支那の男」という言葉(ワード)を媒介として、「暗い」、「苦しい」イメージを次々と吉岡さんに展開させていった、……。その、そのままの、生(なま)の力、剝きだしの痛み、そういったものが吉岡さんには珍しく、この詩からは直截に伝わってくるように思います。

そしておそらくは、「死児」の詩も、この同じ「感度」を背景にして成り立っている、……「苦力」のように剝きだしに、ある意味においては素朴にそれを表現するのではなく、さらにメタファーとして磨きあげたものとして提示された、……作品なのだろうと思うのです。

ということは、この「苦しむ」、「支那の男」は、やっぱり吉岡さんご自身の姿でしょう、……。

これまでに挙げました二篇の詩からわたくしが感じますのは、あえてことばにいたしますと、やはり「断絶」、「切断」の意識ということになるのではないかと思います。前の世代、……あえて「幸福な世代」と呼ばせて頂きますが、……とはまったく美意識においても倫理観においても国家観においても、つまりそういった根本的なところで、それ以前とは「切れてしまった」ところから、われわれは出発しなければならなかった、……しかもこの一種、倫理的な「態度」は、根源的な痛み、悔恨、存在の痛苦とともに以外には、獲得され得なかったものである、……そのような共通する、ある「感度」が、この二つの詩からは感じとられないでしょうか。

「痛苦」の作家フランツ・カフカ

この「痛み」、「痛苦」というのも、「断絶」後の詩というもののあらわれの、根源的

＊フランツ・カフカ（一八八三〜一九二四）――ユダヤ系でチェコ出身のドイツ語作家。人間存在の不条理を主題とする作品は実存主義的見地から高い評価を受けて、二十世紀の文学を代表する作家となった。代表作に『変身』、『審判』、『城』など。

な、だいじな要素だと思います。そしてこの「痛苦」ということに関しましては、さらに触れたい一人の作家が存在します。これは、いま挙げた吉岡さんの詩の「馬」のモティーフからの連想でもあるのですが、詩人ではありませんがフランツ・カフカです。カフカの作品全体には、この、どうしようもない「痛苦」があるのです。

わたくしが、最初に買いました芥川龍之介の『小学生全集』の後でいまだに手放さずに持っている書物が、『カフカ集』なんですね。カフカ読みは生涯の読書のひとつですが、そのカフカ集に「アメリカ・インディアンになりたい望み」という断章があるのです。それの一種のスティグマというかな、それがわたくしには相当強いらしい。それと、カフカの書き方に対する親近感と共鳴と、それから本当に一気呵成に書いていくようなやり方ですね。

アメリカ・インディアンになりたい望み

ああアメリカ・インディアンになれたら！　ためらいもなく馬にまたがり、斜に空を截って、慄える大地の上を幾度かまた短い身震いを覚えつつ、遂には拍車をなげうって、だって拍車なんてなかったから、遂に手綱もなげうって、だって手綱なんてなかったから、そしてきれいに刈られた荒野のような大地すら殆どもう眼に入らず、もう馬の頸もなく馬の頭もなく。

窓から外を見るだけで、あるいは当時プラハはまだ舗道を馬が走っていたはずですから、その馬のひづめの音を聞いて外の馬を想像しただけでもう、「アメリカ・インディアンになりたい望み」なんていうビジョンを立ち上げてしまうカフカ。生来のどうしようもない存在の痛苦が、ここでは、もうぶっ飛んでいってしまっていて、とうとう最後には自らの存在さえをも失ってしまう。その状態が、ここでは「馬」で表象されている。このようにしか表現のできないような、世界の戸口、世界の門がここには開いている。こんなに生々しい形でそれを伝えてくれる芸術は音楽にも絵画にもそれまでにはなかった。カフカは存在の根源的痛苦を文学の上で初めて生々しく体現した、もう「どの言語でか」なんかは問題じゃなくなるような、そういう国境をはるかに超えてしまった作家なのです。わたくしはジョイスも好きだけれども、やっぱりカフカなんですよ。

カフカという人は何がすごいかというと、中心に身体と心の痛みがあるのですね。常に痛苦を感じている。しかもそれが、書く瞬間にだけ立ちあらわれてくる。書いていると、非常に謎めいた力にぶち当たる。その力の非常にゆがんだ異様さに身を委ねて、その書くときにしか出てこないようなものに身を委ね、そのようにして書いていく、……ねえ、やっぱりちょっと、さっきの吉岡さんの「苦力」の成り立ちと似ているでしょう？ ……。

痛苦と詩、作品とがダイレクトにつながっている。多分それが、カフカの一つの大切なポイントなんです。もちろん幻視力のほうへと一気に接近していく、あの天才的な、余人にはできないような速度もカフカの魅力ではありますが、この痛苦による、生存の痛苦と言ってもいいんだな、宗教的なものにも通じる、そうした生存の痛苦を肉体をもって伝えてくるというのかな、それがカフカなのですね。

ですので、たしかにこれはわたくしの解釈にすぎないのですけれども、やはり吉岡実さんが体現されていたものが、このカフカの「痛苦」に近いと思うのです。「馬」のイメージとのつながりで、吉岡さんの「苦力」からふっと想い起こされた作品ですけれども、ただたんにそのイメージの共通性だけには留まらない、もっと深いレベルでの、「苦」と「力」におけるつながりがこの二つの作品にはあったことに、こうやって引用をしてはじめて気づきましたことに、いま自分でも驚いています。

とともに、このカフカの作品にも、やはりある「もどかしさ」のようなものが感じられないでしょうか。何というのでしょう、何かを「正しく」表現することができず、つまり「何か」表現したいものはあるんだけれども、どうやっても、それをうまく「伝えられなく」て、……それもまず、他人にではなく、自分が表現しているはずにもかかわらず、その自分自身にうまく伝えることが出来ていない、それでもう、身も心もほろぼしてしまいたい、そんな身もだえをしてしまっている、……というような。

「極北」の詩人パウル・ツェラン

そしてこのもどかしさ、「身もだえ」がそのまま詩の姿となってしまった、そのような「詩」を書いたのが、わたくしがもっとも敬愛する詩人の一人でもあります、パウル・ツェランであったと思うのです。

両親をアウシュヴィッツで亡くしたツェランはセーヌ川に入水して亡くなりました。それ

＊パウル・ツェラン（一九二〇～一九七〇）――ユダヤ系ドイツ人の詩人。ナチスの強制収容所で多くの同胞と両親を失った経験をモチーフに、象徴主義以降のヨーロッパの文学遺産を引き継ぎながら、痛切きわまりない抒情詩を数多く残したが、最後はパリのセーヌ川に飛び込み生涯を終えた。二十世紀を代表する詩人のひとり。詩集に『罌粟と記憶』、『光の強迫』など。

は一九七〇年でしたけれども、一九二〇年にルーマニアに生まれたパウル・ツェランという人の詩の、ドイツ語なんだけれども「ドイツ語」には聞こえない、詩の中の声、……なんと言うんでしょうねえ、佇まい、ほんのわずかなしぐさ、そのしるし、それを彼の代表作の一つである「ストレッタ」の中に見てゆきましょう。

やってきた、やってきた。

ひとつのことばがやってきた、やってきた、
夜をぬってやってきた、
輝こうとした、輝こうとした。

灰。
灰、灰。
夜。
夜―と―夜。――目へ
行け、濡れた目へ。

★

目へ
行け、
——濡れた目へ
（『パウル・ツェラン詩集』飯吉光夫訳、思潮社）

というこの詩の、

「Schoß an, schoß an. Kam, kam. Asche, Asche.」

「灰」

という哀切な声に、無言の声の底の底を、……聴いたのです。

あるいは——、

★

かわたれどき、ここに、

日の灰色に、地下水の痕跡たちの
さざめき。

★

（――日の灰色に、
　　地下水の痕跡たち
　　　の――

まぎれもない
痕跡
の
境界へ
送りこまれて――。

草。

草、
きれぎれに書かれて。）

ツェランはアウシュヴィッツ体験によって根源的な「傷」を負いました。いえ、もしかしたら、その体験以前から、この「傷」はツェランには負わされていたのかも知れない。カフカはアウシュヴィッツも第二次大戦も知りませんでした、……もっとも二人の妹はアウシュヴィッツで亡くなっています、……けれども、もうすでにあれほどの痛苦をわが身に引き受けておりました。この痛苦とはおそらくは、少し前のことばで言いますと、「実存」レベルでの体験なのです。ツェランの場合、しかしその「感度」は、アウシュヴィッツによって、もう、ものすごく増幅されてしまっている。とてもツェラン自身には、それに「表現」を与えることができないまでに。

でも、それでも表現はしたいのです。言表不可能なものを前にして、立ち竦み、だが、どうにもできないこともあらかじめ知っていながらも、それでもどうしても、何かを言いたい、表したい、でも、それはできない。でも、それでもやっぱり何かを表出しないでおくことは出来ない、……そんな苦悩、もどかしさ、激しく身を捩るような「もだえ」と切迫感、……言葉が言葉にそって尋ねているような、木霊というよりもじつに哀切な襲ね合わせ、そういった、根源的な「痛苦」に対して何とか表現を与えようとする苦闘、エミリーのときにみましたような「無言の言語」、「しるし」が「――(ダッシュ)」として、ツェランにもあらわれてきています。その「痕跡」が、ツェランの「詩」と呼ばれているものなのです。

その意味では、タイトルの「ストレッタ」という語にも深い含蓄があります。これ、音楽用語なのですが、そのもとになっているイタリア語の「stretto(ストレット)」は、元々「締め付けられてきつい」という意味なのだそうです。そこから音楽の指示としては、ゆったりと一つのメロディーを奏でるのではなく、たたみかけてゆく、そのようにして音楽の緊迫の度を高める、あるいはフーガにおいて、「一つの主題が完全に終わらないうちに、もう別の声部での演奏を始めることで切迫感を出す」ことを意味する用語になったというのです。

たたみかける。つまり一つの言葉、思いが、申し分なくおのれを言表しようとしていると、そこに、もう次の言葉が来てしまう、……この切迫感こそが、この詩を成り立たせているものなのです。そしてこの「言い足りなさ」、「息の短さ」によって生まれる悲痛な「もどかしさ」の中にこそ、そうして、なんともいいようのない、それらの「十分に言表することを許されなかった」「声」のあとの「残された声」が聞こえて来ています。

「投壜通信（とうびんつうしん）」というい方もツェランはしていました。絶海の孤島にいる人が助けを求める紙切を入れた小壜のことです。いつ届くのかもわからない、おそらくは届かないのかも知れない、……、これが言語をこえた声、通信をこえた声なのであって、そしてここにこそツェランの、そして現代のわれわれの「詩の細道」は存する、……そのように思い切って言ってみたい気が、今、してきております。

そして、この悲痛な声たちの、透明なまでの美しさは、……、その澄んだ呼吸は、……。

ツェランにいたりまして戦後の「詩」はついにその極北に達したのでした。

「荒地」としての二十世紀

こうして見て参りますと、この「痛苦」、「恥」といった実存的な感覚は、第二次大戦も超えて、広く二十世紀という時代に通底をしていたのかも知れない、ここまでお話をして参りまして、わたくしにはそのような思いもいたしてきております。

そう言えば、……とまたここで「蛇足」のようなことばを。これは最近になって気がついたのですが、T・S・エリオットの有名な詩篇「荒地」の英語の原題は、「The Waste Land」なのですね。「The Wasted Land」ではなく。この「waste」というのは、英語圏ですと、例えばゴミ箱に「waste」と書いてあります。すなわち、この「The Waste Land」のニュアンスは、「荒れ果てた土地」というより、われわれの世界が「ゴミため」あるいは「ゴミ捨て場」、……むしろ今の感覚で言うと、最終処分場のほうがぴったりくるように思います、……となってしまったという含意ではないかということに思い至ったのでした。

そのことに思い至りましたときに、はっと気づきましたのは、わたくしは、ずっと、この「ゴミため」の瓦礫のようなものに引かれていた、ということなのでした。「石狩シーツ」という作品のモチーフはまさに石狩川河口の、バスの車輌までもが捨てられているような「最終処分場」の光景でしたし、いまもまたずっと東日本大震災の被災地の姿に引かれておりますのも、そこに一瞬、露呈されております、この、この世界の「瓦礫性」、そのような「もの」の姿だったのだと思います。

「荒地」は第一次大戦の経験から書かれたのでしたが、この「感度」は、アドルノも言いますように、原爆、アウシュヴィッツという、第二次大戦の悲惨を経て、いよいよ人間の心の奥深く、無意識と言ってもいけない、もっとさらにさらに奥深いところで人間に傷を付けてしまいました。田村さん、吉本さん、吉岡実さんという、わたくしよりも少し年上の世代の方々の「詩」、あるいはもしかしたらそこにはカフカの「痛苦」も含めてよいのかも知れない、つまり二十世紀という時代を閲した「詩」を、もはやその前の時代からは決定的に断絶させてしまったもの、それがこの根源的な「痛苦」の「傷口」なのだろう、いまわたくしは、そのように考えております。

またそれを日本の「詩」の歴史という中に限って見ると、日本の「現代詩」と言われるものの特徴、そのユニークさとは、従来の日本の伝統のコンテクストをはじめて離れ、このような世界的なヴィジョンの中で、「はたしてわたくしたちに詩は可能か？」という問いをはっきりと立てたことにあります。「詩」は、自力で創るものではなく、「向こう側」からやって来る、第二次大戦後、おそらく世界中の心ある芸術家たちはそのように考えはじめたのではないでしょうか。これは、グローバルというのとは少し意味がずれている、むしろユニヴァーサル、普遍的と言うべき「感度」のように思います。そういう感度を、ついに世界中が共有することとなったのが、この「戦後」という時代であったのだと、そうわたくしは思っております。

「荒地」を主導致しました鮎川信夫(あゆかわのぶお)氏が、この理念（「無名にして共同なるもの」）の体現者であったのです。その啓示の光にも導かれまして、詩作に一心になりましたのですが、〝無名にして共同なるもの〟を摑もうとすることと、たとえばわたくしがいたしましたように、石狩河口の「最終処分場」に似た場所に坐り続けるといったことは、どう説明したらよいのかと自問をしてみました。おそらく、この〝普遍、無名、共同〟を、〝心の白く巨(おお)きな幻の道〟のようなヴィジョンに置き換えて、そこで何かを待ちつづけようとした。つまり創造の場をつくろうとしたのです。

そして、このような「断絶」の中から生まれ出た新しい感性と表現形式のさきがけが、ジャズであり、ビート詩であったと思うのです。

これは、それ以前にはなかったものでした。

しかしこの問題については、また章をあらためまして、のちほど論じてゆきたいと思います。


詩はある意味においては「永遠」を目指すのかも知れない。しかしやはり「時代」と言いますか、書き手が閲した「生」の記憶、記録、いえむしろスティグマのようなもの、……を通過してしか、それは具体的なかたちとしては顕れてはこない。次章では、狭義の「詩」の枠組みも越えまして、このような「詩の根源」、あるいはそのような「根源」において「詩」を、……なのでしょうか、ともかく、そのような何かを……捉えようとせざるを得ない人間の必死の試み、まさぐるような手のうごき、あるいは苦悩と苦闘の跡を、ジャンルを問わずに探ってゆきたいと思います。

第三章　根源の詩人たち

　さて、「詩人」の紹介といいながら、前章ではついカフカまで取り上げてしまいました。しかしわたくしが思いますには、これは決して逸脱、脱線なんかではなかったのです。むしろ「詩」の本質、その核のようなところに、こうすることによって、さらに一歩、近づいて行っているのだ、……そのように、いま、わたくしは思っております。

　そこで本章では、さらに逸脱、……ではなくて、核心に向かっての一歩をさらに進めまして、通常はかならずしも詩とは見なされてはいないさまざまな「書かれたもの」、あるいはさらに「書きもの」をも超えまして、広く芸術表現一般の中に、さらに深く、「詩」の本質の手触りとでもいうべきものを探ってゆきたいと思います。

西脇順三郎的ストイシズムの限界

　その前に一つだけ。十代の終わりぐらいまでわたくしは太宰治（だざいおさむ）の、書き手の背後の声が聞こえてくるような語りに非常に惹かれて小説ばっかり読んでいたのですが、あるときフッと鮎川信夫さんの『現代詩作法』経由で西脇順三郎（にしわきじゅんざぶろう）にぶつかって、西脇さんに非常に惹かれたんですね。なぜ西脇さんに惹かれたかといいますと、西脇さんという人には、非常に豊かなポエジーとともに、あるストイシズムがあるのですね。天性の抑制が働いていて、しかも豊かである。そのストイシズムみたいなもの、ある意味では「貴族的な」って言ってもいいようなものに惹かれていたのです。でも今にして思いますのは、逆に、そこで失ったものには、じつはとても深いものがあったのだろうということなのです。

それは現代詩総体にも言えることです。もっともっと深い、深いエロスのかたまりみたいなものでもあり得たかもしれなかった詩が、西脇的なストイシズムと西洋的な香りのもとに、ある抑制と、何か、限界性っていうのでしょうか、そういうものによって抑圧されてしまった。西脇さんはエロス的なものを排除していますよね。すごくギリシャ的でしょう？

そういった、「ロゴス」によってきれいに整序されてしまう以前の、敢（あ）えて凡庸な表現をここでは使いますけれども、もっとどろどろとした何か、むしろそういうもののなかに潜って、分け入っていって、「詩」の表現というものは、何かに触ってこなければならなかった。

そういった意味において、西脇さん、あるいは敢えて申し上げますが、ポール・ヴァレリーの詩篇にもそういった「勁（つよ）さ」がないと思うのです、誠に残念なことですけれども。

朔太郎にさえ、それは言えるのかもしれない。わたくしが萩原朔太郎よりも、大手拓次(おおてたくじ)の非常に特異で純粋な、感覚でもってエロティシズムをつかまえたほうにいまではより惹かれているというのは、西脇さん的な抑圧から無意識に逃れようとしていたのだ、そういうところにまで、辿り着いておりました。拓次の詩も一篇引いておきましょう。

仮面のいただきをこえて
そのうねうねしたからだをのばしてはふ
みどり色のふとい蛇よ、
その腹には春の情感のうろこが
らんらんと金(きん)にもえてゐる。

＊西脇順三郎（一八九四〜一九八二）――詩人・英文学者。一九二二年よりイギリスに留学、英文学を学び英詩を創作しながら、当時勃興したシュルレアリスムの運動に触れる。帰国後は慶應大学教授として後進を指導し瀧口修造らを育て、戦前の日本にモダニズム文学の種を蒔いた。詩集に『Ambarvalia』、『旅人かへらず』、『失われた時』など。すぐれた言語感覚を評価されてノーベル文学賞の候補に何度か推薦された。

＊大手拓次（一八八七〜一九三四）――詩人。早稲田大学英文科在学中にフランスの象徴詩と出会い、フランス語の音韻の美に魅惑される。ライオン歯磨にコピーライターとして勤めながら、妖しい夢幻世界を象徴詩に影響された独特の口語自由詩として書き続けたが、生前の詩集はなく、没後に詩集『藍色の蟇』が刊行された。

みどり色の蛇よ、
ねんばりしてその執着を路ばたにうゑながら、
ひとあし　ひとあし
春の肌にはひつてゆく。
（……）

（「みどり色の蛇」）

「仮面のいただきをこえて」の第一行が、縄文の遮光土偶(しゃこうどぐう)を彷彿させます。拓次の幻想に、そんな奥深いものが顕(た)って来ているのですね。そして「ふとい」は、拓次の幻想の巨きさをあらわしている言葉です。ほとんど恐龍、爬虫類の記憶にも類するものだと、読むことが出来るのではないかと思います。「もっともっと深い、深いエロスのかたまりみたいなもの」と、……先程申し上げました「感触」を、この詩からお感じになって頂けますでしょうか。

つまり、わたくしが思いますのは、おそらくここに「ふとい蛇」としてあるものは、たしかにエロティシズムから発しておりますが、そこに留まらぬ、ついには身体の太古をも越えてしまった根源的な何ものか、……人間を越え、哺乳類も越え、それどころか蛇自身でさえも越えた、生命の一番古い層にある何ものか、……そのようなものの背中の肌が、一瞬、ふい、と、……水面上に背中を浮かびあがらせた、それが、わたくしが拓次の詩と出逢った折の驚きでした。

本章では、このような、通常の美的感覚においてはたんなる混乱、形式感覚の欠如、取り乱し、……のようにしか見えないのかも知れないさまざまな、表現しようという、まさにツェランの項で申し上げました「身もだえ」のような手探りの試みのうちに、「詩」という、このまさに一筋縄ではいかない、どうにも摑みがたいもの、「声のあとに残される声」の、ほんとうの貌の一端を浮き上がらせることが出来たら、そう思っております。

「詩人」石牟礼道子

さて、最初に取り上げさせて頂きますのは、もういきなり、いわゆる「詩」からは遥かにかけ離れたと思われますでありましょう、つまりそういった地点からこの章を始めさせ

＊石牟礼道子（一九二七～二〇一八）――小説家・詩人。一九六九年に刊行した『苦海浄土　わが水俣病』で自らが育ち暮らす水俣の公害病の現実を描き、大きな評判を得て以来、旺盛な執筆を続けた。その作品には環境破壊や公害への単なる告発にとどまらない、「近代の価値」への根底的な批判と虐げられる人々への深い共感力が生きている。代表作に『椿の海の記』、『春の城』、『花の億土へ』など。

て頂くのですが、水俣病の世界を類稀なことばによって描き出しました『苦海浄土』の著者である、石牟礼道子さんです。

　石牟礼さんは、四、五歳の少女のときに、盲目で神経病みのおばあちゃん、「おもかさま」と、もう年がら年中、一緒にいらっしゃったんですね。その「おもかさま」との交信状態こそが石牟礼道子の秘密だったのです。

　で、「ああそうだな、なるほど」と思いましたのは、わたくしが二十五年間、奄美に通いまして、島尾ミホさんを追っかけたのも、ミホさんの子どものほう、この方はマヤちゃんって言って、ちょっと精神障害をおこして、身体不自由になったような方だったのですが、そういう女の方が持っておられる、もうフェミニズムなんていうんじゃとても通用しないような、それからまた吉本さんの「南島論」や、折口さんの「妣が國へ」なんかでも通用しないような「女」、女がみずからの女の胎内を感じることのできるような能力、しかもそれが途方もない狂気をともなっているような、そういう筋が、石牟礼さんを通して見えてきたのです。こういうものはね、日本近代文学にはもうまったくないものなのです。

　それからもう一つわかったのは、大本教を出口王仁三郎と一緒にやった、出口ナオさん。ナオさんというのも、年がら年中、糸を引いてたような単純作業の人なのです。そんな人が突然、神懸かりしちゃう、そういうことがあるなあっていうことも考えていました。

ここに石牟礼さんが「おもかさま」との交感をしるしづけている歌を二首、挙げておきましょう。

あらぬこと一人ごちます祖母（おほはは）の声細々とききとりがたき

狂ひゐる祖母がほそほそと笑ひそめ秋はしずかに冷えてゆくなり

石牟礼さんの少女性が、幼い耳で聞きましたこの「ほそほそと（細細と）」が、途方もない、咽喉（いんこう）の小径なのです。

吉本隆明さんがわたくしの作品の論評に、「内臓言語」ということばを使われたことがありました。これは三木成夫（みきしげお）さんの、植物は動物と、身体および器官を言うなれば「裏返し」にした状態にあって、動物であれば体内にある内臓が、植物では外部にさらけ出されている、という説に絡めておっしゃったのですが、吉増の言語は奈良朝以前のものであると同時に、フロイトの無意識よりもさらに深い底を掘っている。つまり根源の言葉を探している、その深い根源性みたいな意味で内臓性という用語を出してこられたんですね。フランシス・ベーコンの、身体の内と外が裏返しになったような絵画作品にもこの感覚が、よく出ているように思います。

「おもかさま」の気配といいますか、姿をどうぞ、次の引用からごらん下さい。「おもかさま」と石牟礼道子さんがこうして一体になっているのですね。

そのとき、低いしわぶきの声がしました。

「よーい、みっちんよーい、何処おるかにゃあ」

めくらのおもかさまが、みっちんを探しているのです。馬が去っていった方に、山々が昏れかかっていました。

「よーい、みっちんよーい、何処おるかにゃあ」

めくらのおもかさま、みっちんの祖母さまが、彼方にともる灯りを探すように手をさしのべながら、そろそろと足探りしてきます。

みっちんは昏れてゆく山の方を見たまま、赤いねんねこの袖をひろげて、はたはたと振り、おもかさまの方に向き直ると、その手の中に飛びこみました。

するとおもかさまが、ねんねこの上から手探りしてきて、いいました。

「あよ、みっちんな雪だるまじゃあ」

みっちんはすぐに、雪だるまの気持になりました。けれどもめくらのおもかさまの両の掌（てのひら）が、綿入れねんねこの上から肩を撫でているので、粉雪にやさしく揺れていたあの馬のたてがみのように心が揺れて、雪だるまの中から脱けだし、薄墨（うすずみ）色に包まれた、不思議な夕暮れの中に立ちました。

「ここはどこじゃろう」

と、みっちんはいいました。そこは、いつも遊んでいる自分の家の前の道でした。けれども雪の洞になっているので、初めて見る世界のようでした。


（『あやとりの記』第一章「三日月まんじゃらけ」より）

わたくしは、どういうつもりで吉本隆明さんが「内臓言語」とおっしゃったのか、最初はわかりませんでした。ところが、石牟礼道子さんの著作と出会って、「おもかさま」という盲目で気が狂った石牟礼さんのおばあちゃんの言うことが、体内の海みたいなものを通過することによって、この内臓言語的な根源性ということと、ふとつながってきたのです。わたくしが朗読なんていうことをいたしますのも、自分の体内から出てくる、ある深い、深ーい何らかの「声」みたいなものを自分の内部、それも臓物のようなレベルで探っていて、どこかにもっともっと違うものがあるはずと、その底の底を、掘り出そうとするしぐさをしているのだと思うのです。その内臓からの「声」が「咽喉」という、これもまた一つの内臓器官を通過してゆく、そのある身ぶりこそがおそらくは、わたくしの「朗読」といわれるものの核なのです。

黒田喜夫の「毒虫」の飼育

ここから、東北出身の、日本共産党にも入っていて、さらにはそこからも除名されたりした、まあ時代が戦後のそういう時代で労働運動も盛んでしたから、左翼の詩人と一般的には捉えられておりますが、むしろ根源的な想像力の持ち主でした、詩人の黒田喜夫（くろだきお）さん、「喜ぶ夫」って書きます。「k」というイニシャルで、お兄さんのことを「あんにゃ」と言ったり、独特の、寺山修司（てらやましゅうじ）さんとおなじように東北が持つ飢餓の深みを類稀なる想像力によって提示した方でした、この方の根源にさわって行こうと思います。

黒田喜夫さんはおそらく田村隆一さん、吉岡実さん、吉本隆明さん、そうした人たちとともに、現代の詩と言われる、隠れたわたくしたちの想像力の地層の非常に深いところを代表した人です。「ハンガリヤの笑い」とか、それから共産党から除名されたときの「除名」という詩が有名ですけれども、わたくしがいちばん気になっているのは「毒虫飼育」

という詩篇です。「毒虫飼育」というタイトルの含みもとても深みのあるものですが、こういうはじまりです。

毒虫飼育

アパートの四畳半で
おふくろが変なことを始めた
おまえもやっと職につけたし三十年ぶりに蚕を飼うよ
それから青菜を刻んで笊に入れた
桑がないからね
だけど卵はとっておいたのだよ
おまえが生まれた年の晩秋蚕だよ
行李の底から砂粒のようなものをとりだして笊に入れ
その前に坐りこんだ

＊黒田喜夫（一九二六〜一九八四）——詩人。山形県寒河江市の出身。高等小学校卒業後に上京、工場労働者として働きながら、戦後は日本共産党に入党、詩を書き、詩誌「列島」に参加した。プロレタリア詩と前衛詩の結合において戦後詩の極北を示した詩人である。詩集に、『不安と遊撃』、『地中の武器』、『不帰郷』。

おまえも職につけたし三十年ぶりに蚕を飼うよ

（……）

「おふくろ」、お母さんの独白から始まるんですね。ここには出せませんでしたが、この詩の後半をお読みになるとわかりますけれども、このお母さんはおそらくすでに亡きお母さんで、詩人の夢の中に出てきているのですが、しかもアパートの四畳半、この情景が、匂いがするようにして、何かこのお母さんは、石牟礼道子さんの「おもかさま」を髣髴させる不思議なお母さんなんですね。御祖（みおや）と言っていいような、同じ東北の山形ですのに、斎藤茂吉（さいとうもきち）の短歌に出てくるお母さんとはだいぶ違う、何か、不思議な深みをもったお母さんの声なのです。このような、血がつながっているばかりではない、「御祖たち」が、わたくしたちのなかには存在をしているのですね。

ただここでは、この「おふくろ」、お母さん、少ーし外国の血が入ってるような気もするな。不思議なお母さん、御祖が出てきて、その声がして、その四畳半の一室で「蚕を飼うよ」って声がした、まるで「天の、あるいは異界からの声」のような声ですね。

この「蚕」ですが、これもまた、どこか神話的と言いますか、アジアの奥深ーいところにかかわっている、根源的な存在です。ヨーロッパのたいへんな文人ですけどエリアス・

カネッティが、一言すごいことを言ったことがありました。「蠶」という字、旧字ですね。難しい、牙みたいな字をいっぱいつけて、下に虫を書く、旧字の蠶。「この蠶という字を見つめているだけで全アジアが透視できる」、そんな言い方をエリアス・カネッティがしたことがありました。わたくし自身も子供の頃には蚕を飼っているシーンを実際に見ておりますが、蚕の世話はもっぱら女の人の仕事だったのですね。桑を食べさせるのですが、あの、初期型の新幹線みたいな格好をした、なんて言うんでしょう、ある意味においては、かわいいと言ってもいい、でもその反面、不気味であることもやはり否みがたい、……その意味において、この蚕というのは、……拓次の「ふとい蛇」もそうでしたけれども、……やはり人間にとって一つの根源的な存在なのでしょう、……もこもこ、くねくねとのたくる幼虫を掌に載せてあやす手つきも目に浮かんでまいります。その蚕を「飼う」女の人の根源的な「手つき」というものが、この一聯（れん）からはぱっと浮かび上がってまいります。かくまでに、アジアの女の人と蚕の付き合いとは、ほんとうに分厚い時間とともに存在しているのです。そしてその蚕と御祖という、アジ

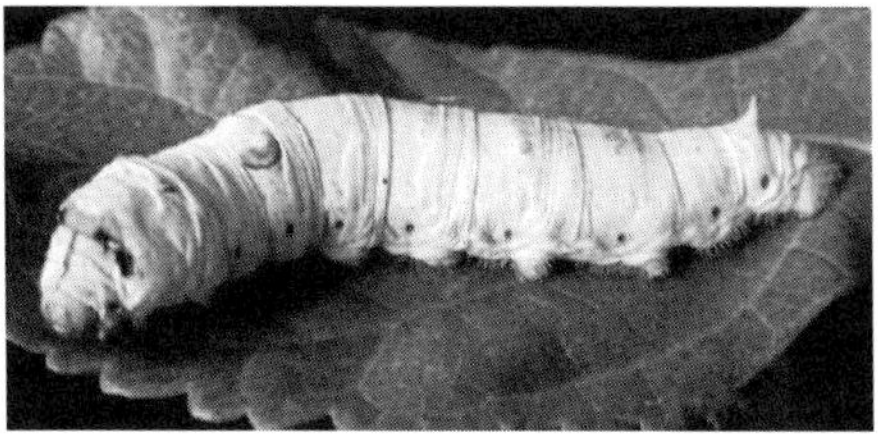

蚕

アの時間の堆積の化身のような奥深いものがこの詩では、四畳半というちっぽけな空間で奇跡のように出会っている。
「死んだ母親」がわたくしの狭い四畳半で「蚕をする」、……なにかとても奥深いところから、ふ、……っと、何か、底知れないものが貌を出してしまった。その不意の「おののき」のようなものの中に、「詩」の貌が、ふっと一瞬、立ち現れるのを感じないでしょうか。

こうした「隠された詩の大陸」の声を聞くこと、これがおそらく、これから詩を書かれる方々は、知的な努力なんてする必要はなくて、そうした自らの中の隠れている、隠れている記憶の未生の大陸を発芽、ふっと、芽を出させるように、それぞれの命の状態をつくっていくこと、拵(こしら)えていくこと、用意していくこと、未成の未来ということですね、そういうことこそが「詩」の道なのだと思います。

それにしてもこの御蚕さん、タイトルでは「毒虫」と呼ばれているのですね。そこもこわいところです。不図(ふと)、カフカの脳裏を掠めていたであろうことも想い出されて、少しく慄然といたしておりました。

メカス、「詩」としての映画

さて、こんなふうにしていると、どんどんと、いわゆる「詩」からは離れて行ってしまいます。しまいますけれども、それも致し方がないですね。素直に「詩」の指し示す「径」に従ってまいりましょう。次に挙げてみたいと思いますのは、ジョナス・メカスさん、わたくしには非常に近しい存在でありました。個人映画の父とも創始者ともいわれる、このメカスさんの、「始原的な仕草」に触れてみたいと思います。

彼は「coward」(臆病な人)でした。控えめでシャイ、極限的に繊細な、震える心の持ち主。プライベートフィルムの巨匠、ニューヨークの前衛芸術家の代表のようにいわれるけど、わたくしの感想は違いました。一九七〇年代の初めに見ました『リトアニアへの旅の追憶』は、まさに映画の「原生命」に触れる体験でした。ボレックスの一六ミリ映画カメラで、一刹那一刹那の小さな幸せの芽生えを切り採っていく。その映像は終始一貫して揺れ、重なり、震えていました。

一九八五年にニューヨークで初めて会った時、握手しようと手を差し出したら、メカス

*ジョナス・メカス(一九二二~二〇一九)――リトアニア出身の映像作家・詩人。戦後にアメリカに渡り、ニューヨークに定住、16ミリカメラを入手し身辺の映像を記録し始める。ハリウッド映画に対抗する実験映像として日記映画のスタイルを確立した。一九六〇年代以降は、アンディ・ウォーホルや前衛芸術集団フルクサスのメンバーらと交流し、ニューヨークのアートシーンの中心人物となった。代表作に『リトアニアへの旅の追憶』、『ウォールデン』など。リトアニア語で書いた詩は『セメニシュケイの牧歌』、『森の中で』などにまとめられた。

さんはヨーロッパの古い妖精のように、あるいは影のようにすーっと後ろに退いていったのです。すぐそばにいるのに、途方もなく遠くにいるようなしぐさ。「ああ、これは本物の詩人だ」と直観をいたしました。

その時、『時を数えて、砂漠に立つ』を見ました。見終わった後、観客の一人がメカスさんに質問をしたんですね、「Why is your movie so shaky?（なぜ、あなたの映画はこんなに震えているのですか?）」と。メカスさんは帽子を取ってお辞儀して口ごもりながらこう答えました。「Yes, because my life is shaky.（それは私の人生が震えているからです）」と。

でも折角です、「詩」のほうも一篇、紹介いたしましょう。古い、未感光のフィルムに下る雨の音の懐かしい、そしてメカスさんの記憶の石ころの角々（かどかど）のような音たちを聞いて下さい。リトアニア語から、村田郁夫先生に訳していただいた詩です。

牧歌１　古きものは、雨の音

古きものは、茂みの枝に降りかかる雨の音、

夏の紅に染まる曙に啼くクロライチョウの声、
古きもの、それは、私たちの交わすことば、

黄色くなった大麦や、カラス麦の畠のこと、
濡れそぼち、風立つ、秋の侘しさのなか、
　　　　　　　　牧童たちが囲む焚き火のこと、
ジャガイモ掘りのこと、
そして、夏の蒸し暑さのこと、
冬の白い輝き、果てしない道をゆく橇の音のこと。
また、材木を積んだ重い荷馬車のこと、
　　　　　　　　休閑地の石ころのこと、
粘土づくりの朱色の暖炉、原野の石灰岩のこと、
あるいは、田畠が灰色に暮れる秋の夕べ、
　　　　　　　　ランプの傍らにいるときのこと、――
明日の市に出かける荷馬車のこと、
十月の、水に浸かって、洗い流された街道のこと、

びしょ濡れのなかのジャガイモ掘りのこと、

古きもの、それは、私たちのこうした生活——幾世代にもわたって、
踏みならされた野原、くぼみこんだ耕地、
大地の足跡は、語りかけ、祖先の匂いを残す。
あの同じ冷たい石の井戸から、私たちの祖先は、
戻って来るたくさんの家畜たちに、水を飲ませた。
また、家の土間にくぼみができたり、
家壁が剝げ落ちてくると、
あの同じ穴から、黄色の粘土を掘り出したものだ、
黄金色の砂を、あの同じ野原から——。
そして、やがて、私たちがこの世を去っていったら、
残った者たちが、畠のはずれの、あの青い境界石に座るであろう、
生い茂った湿地の草を刈り、丘の斜面を耕すであろう。
また、彼らが仕事から戻って、テーブルに着くとき——
どのテーブルも、水差しの陶器も、語りかけるであろう、

小屋の壁の一つ一つの校木(あぜき)が、語りかけるであろう。
彼らは忘れまい、黄色の砂礫の大きな採掘場を、
また、風に揺られるライ麦畠を、
亜麻畠の傍らで、私たちの女たちが歌う、もの憂げな歌を、
そして、建てたときの、新しい家の、この匂いを！——
新鮮な苔の匂いを。

ああ、古きものは、クローバーの開花、
夏の夜の、馬の鼻あらし——
地ならし機のローラーや、まぐわ、犂の音、
水車の石臼の重い音、
草むしりをする女たちの肩懸けの白い光り、——
古きものは、茂みの枝に降りかかる雨の音、
夏の紅に染まる曙に啼くクロライチョウの声——
古きもの、それは、私たちの交わすことば。

「古きもの」、……「馬の鼻あらし」も「土間のくぼみ」も、たとえばカフカやあるいはプルーストの書き残したものとは全く違っていますよね。この「古きもの」に、わたくしは、古い、別の、ということは、わたしたちが触れたことのない古い欧州（ヨーロッパ）の土の「雨の音」、「ランプの傍ら」、「馬の鼻あらし」があるのですね、……そうか、ヴィンセント・ヴァン・ゴッホにも、たしかこんな絵がありました。

成田空港から出国する際にパスポートを見せた時、メカスさんが全身でぶるぶる震えていたのを思い出します。おそらくは故国喪失者であるメカスさんにとってパスポートというのは命も同然のものなのです。しかし、「国家」は必ずしも故国喪失者のパスポートを受け入れてくれるとは限らない。わたくしたちのように「日本国旅券」という、どこの国に対しても通用する確たる身分証明を携えて国境を越えられる者には、これはまったく想像の及びがたいことなのだと思います。おそらくはメカスさん自身、入国を拒否された経験がおありだったのではないでしょうか。根源的な意味における「母国」というものを剝奪されてしまった寄る辺なき存在が、たった一人で国境を越える時の孤独感、その実存の「ふるえ」、それがメカスさんの存在の根源にはあるのです。母国を逃れて異郷の地で長く生きた「coward」で「shaky」な詩人は、言葉の裏にある、もうひとつの隠された言語で、「nowhere to go（どこにも行く所がない）」というメッセージを常に発していました。そのしぐさにもまた、一人の「傷」を負った詩人の姿をかいま見た思いをいたしました。

メカスさんって言う人は、隅っこにいて、つねに世界を人の視線のそばで、かすかにたわんだようなところから見ているんですね。その目、これが大事なのです。狂気までは行かないけれど、どこかではやはり狂気にも近いような、ぎりぎりの控え目さと病と衰弱と、そして少し「はすっかい（斜交い）」から世界を見ているこの目というものが。

詩作とか芸術行為というのは、「わたし」が主役ではないのです。自分で気がつかないことを、ふっと、……そんな仕草の中にこそ、おそらく「詩」というものは、少しだけ感じられるものでしょう。あるいは日々の動作の中から、ふっ、……と、そうしたしぐさをつかまえる。そのような「弱い」しぐさ、身振りの中に、おそらくは「詩」というものが立ち現れてくる瞬間はあるのです。そのことを、例えば、この人は生粋の詩人でした、

ジョナス・メカス
『メカスの難民日記』（みすず書房）

ジョン・キーツは「ネガティヴ・ケイパビリティ」と呼んだことがありました。

「詩」を越える詩、カフカ

ということで、「ふっと、……のしぐさ」からの、これは聯想でもあるのですが、また、になりますが、またしても少しだけ。『城』の、ここが、わたくしはとても好きなのです。K（測量師さん）が、初めて家に入れてもらえたシーン、ここです。


Kは、言った。「しばらく入れてもらえませんか。とても疲れているんでね」

彼は、老人の言ったことがまったく聞きとれなかったが、一枚の板がさしだされたのをありがたく受けとった。板のおかげで、すぐに雪のなかから救いだされて、二、三歩あるくと、すでに部屋のなかに立っていた。

大きな部屋で、薄暗がりにつつまれていた。外からはいってくると、最初はなにも見えなかった。Kは、洗濯桶につまずいてよろけたが、だれか女の手が、引きとめてくれた。片隅から、しきりにわめく子供の声がした。べつの隅からは、煙がもうもうと渦をまいて、薄暗がりを闇にした。Kは、まるで雲のなかに立っているみたいだった。

「これは、酔っぱらいだよ」と、だれかが言った。

「だれかね、あんたは」と、主人らしい声がどなったが、あとはおそらく先ほどの老人に言っているのであろうが、「なぜまたこの男を入れてやったのだ。通りをうろつきまわっているやつなら、だれでも入れてよいものかね」

「わたしは、伯爵さまの測量師です」と、Kは言って、あいかわらず姿の見えない男にむかってなんとか弁明をしようとした。

「ああ、測量師さんなの」と、女の声が言った。すると、みんなおしだまってしまった。

「わたしのことをご存じなのですか」Kは、たずねた。

「そのとおりよ」と、おなじ声が、あいかわらず簡単に答えた。どうやら自分を知ってくれているということも、彼の立場をとりなしてはくれないようだった。

やっとのことで、煙がいくらかおさまり、しだいに勝手がわかるようになった。大洗濯の日であるらしかった。戸口の近くで、下着類を洗っていた。しかし、煙の出所

*ジョン・キーツ（一七九五～一八二一）——イギリスのロマン派の詩人。代表作に叙事詩集『エンディミオン』やオード作品「秋に寄せて」、「ギリシャの壺へのオード」など。シェイクスピア並の詩才と評されながら、結核を病み転地療養のために移住したイタリアのローマで二十五歳の若さで亡くなる。

は、べつの片隅で、そこには、まだ見たこともないほど大きな木の盥——おそらくベッドふたつ分ぐらいの大きさであろう——があって、湯気をたてている湯のなかで、ふたりの男が風呂をつかっていた。しかし、それよりもまだびっくりさせられたのは、なにがおどろくべきことかははっきりとはわからないのだけれども、右手の隅であった。部屋の奥の壁にあるただひとつの大きな明りとりの窓から、おそらく中庭からであろうが、青白い雪あかりがさしこんできて、隅の奥まったところにある高い安楽椅子に疲れきった様子でほとんど身を横にしている女の衣服に、まるで絹のような光沢をあたえていた。女は、乳飲児を胸にかかえていた。そのまわりで二、三人の子供たちがあそんでいたが、百姓の子供たちであることが、すぐに見てとれた。しかし、女は、この子供たちの母親であるとはどうしても見えなかった。もちろん、病気と疲れは、百姓をも上品にしてしまうものである。

（カフカ『城』新潮文庫・前田敬作訳）

ここは、『城』のもっとも大事なところの一つです。太古のとも、いつのとも知れないような家の内部に、はじめて「K」が入って行くシーンです。しかもね、「一枚の板」、これが凄いのですよ。まったくの異世界に入って行くときの「板一枚」、……改行が翻訳でも忠実に生かされているとするならば、ここでのカフカの書く力の跳躍は素晴らしいもので、「板一枚」のところについて書いていて、書きつつ、これが、「板一枚」のおかげで、別の世界にあっという間に辿り着く、……。少し、先程のエミリーの「踏み板（プランク）」に似ています。ここです。別世界への穴、カフカの「書く手」が、瞬間にして、あるいは一息で届いた、この通路、穴、一枚の板こそが、あるいは、……思い切って書いてしまいますが、「詩というもの」への入口であり、またその出口でもあるのです。こんな教訓のようなことをいうことは決して好きではないのですが、いいですか、この「板一枚」がありさえすれば、これが命の板になって、……わたくしたちも、生きて行くことができるのです。

　しかし、ここでも咄嗟に、想像が、想像の触手がはたらくのですが、水泳上手のカフカのことです、おそらくはまた同時にこの「踏み板」というものの怖さも知っていた筈なのです。踏み板というものも、考えてみればなかなかに両義的なものですね。例えば、どこかヨーロッパの古いリゾートの小さな湖の畔に設えられた古い踏み板を想像してみましょう。どこか一ヵ所、釘がもう抜けてしまっていて、ぐらぐら足下が落ち着かない、……そんな、頼りにすべきものの頼りのなさ、……するとまた、あの『判決』のラスト、橋上からの「飛び込み」が生々としてくるではありませんか。あるいは、さらにわたくし自身の思考と想像を延ばしてみますと、短い短いあの「橋」もまた、この薄板一枚の頼りなげな「板一枚」、あるいはエミリーの「プランク」であったのかも知れないのです。あるいは「無言の言語」である「――（ダッシュ）」であったのかも知れません。

それと同時に、これも驚かされましたのは、短編「断食芸人（だんじきげいにん）」（これがカフカ最後の作品でしたが、……）のおわりのところ。ほんと十数行だけなのですが、「『つまりわたしは』と、断食芸人はいいながら、頭をちょっともたげて、ひとことも聞きのがされないようにと、キスをするように唇をとがらせて監督官のすぐ耳もとでいった」と。「『つまりわたしは口にあう食べ物が見つからなかったのです。そのようなものが見つかったなら、わたしは評判なんか考えずに、あなたや、みなさんと同じように腹一杯食べたと思うのです』これが最後のことばになった」、と。

ほとんどの論者はここを字句通りに意味論レベルで受けとって、この「何も食う物がなかった」に引っかかっているんですね。ところが、ここでの本当の眼目は、「ひとことも聞きのがされないようにと、キスをするように唇をとがらせて監督官のすぐ耳もとでいった」のほうにあるのです。意味じゃなくて表現、もっと言えば、この「キスをするように唇をとがらせて」という、しぐさ、身振りそのもののほうにあるのです。そして、この根源のごくごく身近なしぐさ、いうなれば「至近のしぐさ」が、あの「板一枚」に似ていることに、気がつかれたことでしょう。

モーリス・ブランショは「外」という概念を使いますけれども、「書くということに私は戦慄しているのだ。しかし一体どのような書くことなのか」と。これに答えてカフカが、「君にはわかんないのだ」と恋人のフェリーツェに言ってるんですね。「ある種の頭の中にある、ある種の文字とはどういったものなのか。それは地面の上を歩くかわりに木々の天辺にいる猿のように、絶えずせわしなく追い立ててくるんだ。途方に暮れてもほかにどうしようもない、一体どうすればいいのだろう」と。まるで考えもできないような、表現もできないような何かがそこで騒いでいる、それがブランショの言う「外」なんですよ。

その「外」からの「力」、言うなれば異世界の騒ぎをこういう瞬間に、ぱっとつかまえる力がカフカにはあるのです。これ、多分、自分の頭の中の状態を言ってるんですよ。わたくしが言葉を添えますと、ここでは一応、猿と言われておりますけれども、何か知らないけど変なものが頭の中でうごめいている。それが例えば『変身』ではあの虫になったりもする。思想的な文脈じゃなくて、「詩」そのものをつかまえようとして、その瞬間の細部の光の差し方のおかしさ、ゆがみ、そんなところへ「書くこと」を持っていこうとしているのです。たぶんこれは、わたくしたちの世代はとくにそうですけれども、ダダイズムからシュルレアリスム、そういうものに染まったようにされておりますけれども、実はそうじゃなくて、もっと根源的なレベルからの「詩」のなにものかの「あらわれ」としか言い表しようのないものが、一応の「かたち」を取って現れ出たものなのです。

それは、序で申し上げましたように、わたくしたちの時代は、ある一つの表現領域に限らないところから間断なく多量のシグナルが送られてくるのに出会いますから、言葉だけではなくて、あるいはビートルズの「声」であるかもしれない。その「声」は美空ひばりであるのかもしれない。あるいはゴッホの「海嘯のようなざわめき」であるかもしれない。パウル・クレーであるのかもしれない。蕪村であるかもしれない。浦上玉堂であるかもしれない。田村隆一であるのかもしれない。そうした存在が問いかけるときの謎に出会う、その場面、場面における、むしろ小さな、細かな「しぐさの刹那」にこそ「詩」があるらしいということが、こうしてお話しすることによって、わたくしの心の経験として、少し明らかというか、明るみを帯びてきたというのでしょうか。表現ができてきたというのでしょうか。そういうところに差しかかってきましたように思います。それが「板一枚」であるのかも、「緑の導火線」であるのかも、「一刹那の遅れのようなもの」あるいは、奇妙な言い方をすることになるのですが、「一瞬の唖性のようなもの」であるのかも知れないのです。

ですから、「詩の心」とか詩人の「書く」という言い方をするよりも、背筋がぞおっとするくらいの驚異、そうした「驚き」が一挙に押し寄せてくるような炎の場面に立ち会わなければならない、……と言う心の奥底の声、そうした「驚き」の脅威の巨大なかたまり、宇宙大のかたまりが押し寄せてくるとき、それが「詩とは何か」という問いが現れてくるときだろうと思います。この心の乱れの大きなかたまりの炎の働きこそが、吉本さんのおっしゃった、「詩は間違った表現なのだ」をも抱え込んだ、詩の心というものの深い深い働きなのだろうと思うのです。

それはたとえば、これは再びジョン・キーツですけれども、彼の言った「聞こえない音楽を聞くこと」かもしれません。あるいはもしかしたら、言葉がすぐ傍の違う言語に、この「言語」というのは、わたくしはあんまり好きではないですけれども宮沢賢治さんが「みんなのことばはきれぎれで／知らない国の原語のやう」という言い方をされました、翻訳とも、どこの国の言葉とも言えないような言葉なのですが、そうした言葉を、言葉が言葉を聞いている、そのような径に差し掛かることとなのかもしれません。「聞こえない音楽を聞く」という言い方をキーツがいたしましたのも、そのことをおそらくは念頭に置いてのことだったのでしょう。

原民喜の「シュポッ」

さて、続きまして、これから一つ、とても大事なことを試みてみたいと思いますのは、これは第二章の「戦後」ということとも深くかかわっておりますけれども、わたくしたちの時代が、日本人ばかりではなくて、全人類が驚愕してしまって、どうしていいか途方に暮れてしまいました原子爆弾、あるいは水素爆弾、こうして、「核」というものに出会うことになってしまった人間の、直接経験という言葉を使っていいかどうか、たまたま非常なる不幸にして、そこの「現場」にいた心と言葉が、こんな言葉のしるしを残しているということにわたくしはびっくりいたしました、原民喜（はらたみき）という、広島に生まれて、広島への原爆投下の際に被爆したときのことを書き残してくれて、そして、西荻窪（にしおぎくぼ）と吉祥寺（きちじょうじ）の間の線路に身を横たえて亡くなりました、とても繊細で優れた詩人、作家でした原民喜の詩に、こういう箇所があるのです。

おそらく、そのときどうしても日常的に使われている平仮名漢字交じりの言葉では表現できないという思いがあったのでしょうね。日本語の中の別系統の妖精のような片仮名漢字で書かれている「燃エガラ」という詩です。

夢ノナカデ
頭ヲナグリツケラレタノデハナク
メノマヘニオチテキタ
クラヤミノナカヲ
モガキ　モガキ
ミンナ　モガキナガラ
サケンデ　ソトヘイデユク
シュポッ　ト　音ガシテ
ザザザザ　ト　ヒツクリカヘリ
ヒツクリカヘツタ家ノチカク
ケムリガ紅クイロヅイテ

途中までですが、この「シュポッ」という音に、わたくしは説明のできない衝撃を受けておりました。

＊原民喜（一九〇五～一九五一）——小説家・詩人。広島での被爆の体験を綴った小説『夏の花』で知られるが、詩誌「歴程」に参加して多くの詩を残している。昔の国電・中央線の西荻窪と吉祥寺の間の線路に身を横たえて鉄道自殺をした。

わたくし自身がそれを翻訳して表現をしますと、まるで宇宙の根源が抜けてしまったような、それまでの「ピカ」とか「ピカドン」とかでは決して伝えられてこなかった本当の状態での、……「物の声」が、でいいでしょうね、……その「物の声」が、恐らく人間や生物や動物だけではなくて、物たちもそうした世界の中に吸い込まれた、そんな声が聞こえたのです。

ああ、「吸い込まれた」という言葉が、いままさに出てきてしまいましたね。何かがあらわれるというよりも、巨大な力によって吸い込まれる。よくわたくしたちはプラス・マイナスなんていうことを言いますけれども、全く想像もできなかったような影の世界がこの世界を吸い出した。あるいは吸い込んだ。とすると、この詩の中で、真っ黒な「クラヤミノナカヲ　モガキ　モガキ　ミンナ　モガキナガラ　サケンデ　ソトヘイデユク」と、「シュポッ」と音がして、恐らく今こうして語りつつほんのわずかにわたくしも、原民喜さんが感じさせられたらしいマイナスの巨大な引力、巨大な吸い込み軸の吸い込み口、吸い込み穴のあらわれ。それが空になった。世界になった。宇宙になった。その表現であったということにまで辛（かろ）うじてたどり着きました。

わたくしも昭和十四年、一九三九年の生まれです。幼いときに戦火に出会った子供でした。人類にとってまさに原罪とも言ってもよいような、この原子爆弾のなかに現実にいた方の表現を、……表現と言っちゃいけないんだな。向こうから来た、先ほど言いました巨大な吸水口、吸い込み口（ぐち）、考えられない恐るべき吸い込み口。そうか、その見知らぬ巨大な口が開いたんだ。それがこの「シュポッ」だったのです。

そしておそらく、この、

「シュポッ」

は、敢えて、勇を鼓すようにして、言いますと、ディラン・トマスの「Green Fuse ＝緑色のヒューズ」への、何処からとも知れない、応答あるいは木霊（こだま）でもあるのです。そうして、さらに、この「シュポッ」を聞いた耳にも、語りかけてみなければなりません、どうして、そんな途方もない、響きに、耳が傾けられたのか、……とも。

こうして『詩とは何か』、この書物の新しい語りの試みを、ここまでお読みいただきましたように、隠れている詩の大陸、無意識とか記憶とかいうよりも、もっと深いような、もちろん科学や歴史によっても届かないような、そういうものに少し光が届きはじめたようで、そのことを例えば、これも震災以来、わたくしは吉本隆明さんの「日時計篇」という、二十六歳から七歳のときに五百数十篇を毎日毎日どこに発表するともなく書かれた詩を書き写すときに、平仮名、漢字、独特の表現をわたくしなりに片仮名に変換して、しかも刻みつけるようにして彫刻的に紙の上に筋をつけて、そして書き写しているときに、……そのときに立ちあがってきたものは、八重山か沖縄の方々に、あるいは異国の方々にも、話し掛けている声のような気がいたしますが、……この片仮名に書くときにも、言葉のというよりも、わたくしたちの心の奥底に潜んでいる別の、別の心の大陸の杣道、枝道、獣道、白くて細い、雲のようなときに触れるような経験を、片仮名で書いている刹那にいたしておりました。

広島で原爆を経験した原民喜さんがどうしても片仮名書きでしなければ語れなかった「経験」、あるいは『戦艦大和ノ最期』を書かれた吉田満(よしだみつる)さんが全文、漢字と片仮名で書かれた、あの非常時の表現のようなもの。やってごらんになるといいですよ、片仮名で書かれてみると、論理や意味や思想はそのままでありながら、別の血液が流れはじめますから。

こうしてわたくしたちの詩は、この「シュポッ」を通じて、詩の持っているらしい、もちろん科学や哲学ではとうていたどり得ない、表現と言っても芸術と言ってもいけない、もしかしたら「詩」と言ってもいけないかもしれない、こうしたことの到来の「しるし」、一つの小径に、ほんの、僅かに、辛うじて、たどり着いたような気がいたしております。

石川啄木のローマ字

わたくしたちはこうして、ある普遍的なところに触れようとして、それと同時にいわゆる散文的な文脈、あるいは論理によってはたどり得ない、あるいは物語的な結構によってはたどり得ない、割れ目、沈黙、裂断に出会う、そうした詩の普遍性に出会ったように思います。このように、伝統をつくろうという文学芸術の読み方とは全く違うところへ皆さんを誘おうとしていることを承知の上で、詩における姿形というんですか、普通に言うと「表現の形態」というような言い方をしますが、それよりももっと、先ほど申し上げましたようにより深い、普遍的なところから伸びてくる沈黙の声、あるいは不可能な造形、あるいは深い亀裂、そこから聞こえてくるものに本能的に気がついた三人の詩人を、これからごく簡単にご紹介をしてまいりたいと思います。

一人は皆さんよくご存じと思います石川啄木という人ですが、あと一人は明治初年の北

＊石川啄木（一八八六〜一九一二）――歌人・詩人。郷里の岩手県で満十九歳のとき、詩集『あこがれ』を出版、早熟の才能が注目されるが、生活のため北海道の新聞社で記者を務める。上京後、『ローマ字日記』を綴った。大逆事件に触発され、「時代閉塞の現状」を執筆、社会主義思想に傾倒し、クロポトキンの著作を愛読した。詩篇「はてしなき議論の後」ではロシア革命への憧憬が歌われる。代表作に歌集『一握の砂』、『悲しき玩具』、詩集『呼子と口笛』。

村透谷という人。もう一人は異貌の大阪人でした折口信夫さんという人です。この三人を例として挙げます。

　まず、石川啄木さんですが、ご存じのように東北の岩手の渋民の生まれで、貧しくて、若くして亡くなってしまった稀有なひとなのですが、この人が与謝野晶子・鉄幹の『明星』の影響を受けて東京へ来て、小説も書こうとして行き詰まったときに、ふとある日、『ローマ字日記』、このアルファベットによって日本語を書くという稀有な試みに突入していったということがありました。その突入の瞬間がおもしろいんですが、英詩に親しんで書き写していた幼年期の英語との接触というのが啄木にはあるんです。それが日本語をアルファベットで書き出すというきっかけでもありました。

　できましたら、ゆっくりとアルファベットで読んでみてください。

四月三日

Kitahara-kun no Oba-san ga kita. Sosite kare no Sin-Sishû “Jashûmon” wo 1 satu moratta.

Densha-tin ga nainode Sha wo yasumu. Yoru 2 ji made “Jashûmon” wo yonda. Utukusii, sosite Tokushoku no aru Hon da. Kitahara wa Kôfuku-na Hito da!

Boku mo nandaka Si wo kakitai-yô na Kokoromoti ni natte neta.

(北原君のおばさんが来た。そして彼の新詩集〝邪宗門〟を一冊もらった。電車賃がないので社を休む。夜二時迄〝邪宗門〟を読んだ。美しい、そして特色のある本だ。北原は幸福な人だ!

僕も何だか詩を書きたいような心持になって寝た。)

「Kitahara-kun no Oba-san ga kita(北原君のおばさんが来た)」。北原白秋なんですね。北原白秋の処女詩集『邪宗門』を北原白秋のおばさんが持ってきたというんです。それで、ショックを受けてるんですよ。俺はもう詩人としてはだめだと思った。それで、日本語では見えちゃってわかられちゃうようなことを隠そうとして書いた、自分の心に対してもね、その瞬間にこの『ローマ字日記』がスタートしているんです。

「Kitahara wa Kôfuku-na Hito da!(北原は幸福な人だ)」。ね、白秋の『邪宗門』を読んで「Utukusii, sosite Tokushoku no aru Hon da.(美しい、そして特色のある本だ。)」と言ってもう感激というよりも心の底から泣いているようなもの。こんなときにはもう日本語では書けないのですよ。普通にも言えないわけです。このときが、英語とも言えない日本語とも言えない全くの、ベンヤミンのいう「純粋言語」の始まりです。キリスト教で言う「告解」とか「告白」とか、あるいは日本文学で私小説へ向かっていく、そういうものよりもはるかに深い言語の鉱脈がここで始まっています。わたくし自身も全文ローマ字で読んだわけではありません。というか、書いた石川啄木しか読んだ人はいないのです。いまだに明治四十二年以来百年、ほとんど誰も読んだことのない言語がここにあるのです。

Massiro na, yawaraka na, sosite
Karada ga hu-u-wari to doko made mo ——
（真白な、柔らかな、そして
身体がふうわりとどこまでも——）

こんなふうに「絶対音楽」にさわるようなものを実現した稀有な例として、この石川啄木の『ローマ字日記』を挙げておきたいと思います。詩歌や文学の歴史をひもといても、こういうところは皆さん通過されてこられておられないと思います。こんなふうにして、何か普遍的・絶対的なものにさわること、それが詩の小径の、言語を絶する深さみたいなものに通じているのですね。

北村透谷の「、」、折口信夫の「。」

もう一人、北村透谷。この人も純粋な才能のひとであったと思いますけれども、ちょうど江戸から明治の間に小田原で生まれて数寄屋橋で育って、「数寄屋」というのを「透谷」と変えたんですけどね、そこがまたすごい言語感覚ですが、「数寄＝透き」、「屋＝谷」で透谷。本名は門太郎ですが、透明な谷と自分を名づけた人で、早稲田に行って英語を習ったりなんかして、強盗になり損なったり明治の壮士みたいなところもあったんですけれども。

その北村透谷、恋愛問題もあって恋愛、「ラブ」ということにも正面から初めて衝突したような、そういう人でもありました。その人に「夢中の詩人」という短い文章があるんです。このころ日本語が、筆ですらすらすらと書いていたような状態でそれまで千年以上も続いていたのが、活字文化が入ってきて、これはキリスト教、賛美歌とともに入ってきたような形跡があるんですが、そのとき日本語の姿が変わってきた。そのとき何が大事なことが変わってきたかといいますと、テン（、）・マル（。）あるいはエクスクラメーションマーク（！）が入ってきた。つまり欧文脈の呼吸の心みたいなものが日本語の中に入

＊北村透谷（一八六八〜一八九四）——評論家・詩人。小田原生まれ。自由民権運動に身を投じるが離脱。洗礼を受けキリスト教徒となり、伝道活動を行う。恋愛を重視してロマン主義的傾向の『内部生命論』などを発表するが、挫折感から二十五歳で縊死する。

ってきたのです。

> 拝啓、僕、まだ脳病の魔王に、にらみつけられて、とても筆を持つ事などは、出来ず、また持った所が、、過日来御対話致せしはなしの如く、屁にも足らず、何にも、当たらぬ、者なれど、、

「拝啓、僕、まだ脳病の魔王に、にらみつけられて、とても筆を持つ事などは、出来ず、また持った所が、、」ここに二つテンを打っています。音読してみてください。心が破裂するようにして、表記だけの問題ではなくて、それに沿って言語に接するときの精神が、このときにつくられていっているのがわかります。必ずしも狂気あるいは天分ということだけでは言えないような、さっき啄木のときに「絶対音楽」というような言い方をしましたけれども、そういうものに触れている稀有な例として、もうこんな径は途絶えてしまいましたけれども、北村透谷という類稀なひとがいました。

それから、薬屋さんのせがれでした折口信夫は、難波（なんば）から二駅ぐらいの木津（きづ）という所に生まれた純粋な大阪っ子です。子供のころから難波の芝居小屋で過ごしていたような子で、風土的なものもあるし、それからおじいちゃんが飛鳥（あすか）の神社の神主さんのところから

養子に来た人だったせいもあるし、女系家族の中に育った特異体質の人で、生涯、独身生活を過ごした異貌の人です。その折口さんが革新的だったのは、歌の中にテン・マルを導入したことです。

これは北村透谷の感じたことにとても近いし、あるいは後年、わたくしのような者が「テン・マル」を何か暴力的に使うようなことをやったことの淵源は、じつはこの人にあるのですが、例えば「葛(くず)の花　踏みしだかれて、色あたらし。この山道を行きし人あり」。これ、歌人・俳人で問題にする人が少ないのは驚くべきことですが、今お読みになってみても感じられるでしょう、「。」があることで、向こう側から聞こえてくる、聞こえない音楽、聞こえない世界、沈黙している世界の層が変わるような感じがするじゃないですか。

葛の花　踏みしだかれて、色あたらし。この山道を行きし人あり

＊折口信夫（一八八七〜一九五三）――国文学者・民俗学者・歌人・詩人。「まれびと」や「貴種流離譚」など独特の概念を用いて国文学と民俗学の分野に大きな業績を残した。主な論文に、「国文学の発生」、「短歌本質成立の時代」、「大嘗祭の本義」、「民族史観における他界観念」など。釋迢空の筆名で多くの短歌や詩を残した。小説作品に『死者の書』。

「葛の花　踏みしだかれて、色あたらし。」、ここで、いったんマルを打っている。すると、ここで、読んでいるわたくしたちの思考も同じくいったん止まるわけです。そしてそのときに、何を考えているかを考えるわけです。これは一瞬であるかもしれない、あるいは数億年であるのかもしれない。そうした世界の扉が開くような瞬間が、ここにあらわれているのです。

折口信夫という人は、こうして歌を提示するときに、誰も考えたことのないような「楽譜」をつくってしまったんですね。必ずしも狭い意味での、あのおたまじゃくしのマークだけが「楽譜」じゃないんです。わたくしが後年、武満徹（たけみつとおる）さんを経由して引きつけられることになったジョン・ケージという人。あるいは現代音楽に近くなるかもしれません、通常の「楽譜」、……これは何も音楽に限られたことではなく、この「通常の楽譜」というものはさまざまなジャンルに、もうあえて言ってしまいますけれども蔓延（まんえん）をいたしております、……から考えるんじゃなくて、この瞬間に「そうか、音楽というのが発生してくるもとがここにあるのではないか。それに触れているのではないか」、そういうふうに感じる心が、石川啄木にも北村透谷にも折口信夫さんにもあったのだと思います。

またしてもハイデガーで恐縮ですが、ハイデガーが、われわれが言葉を話すということは、言葉がわれわれに属しているからではなく、われわれのほうが言葉に属しているからなのだ、われわれが言葉を話すということには、それ以上の理由はないのである、というようなことをどこかに書いておりました。この章で取り上げました人々の試みも、そのような、自分よりも広大な「言葉」に出会ってしまったことの「しるし」、「痕跡」なのではないでしょうか。

技術や伝統の伝承や教育なんていうこととは別に、こうしたことに気がつくことの普遍性をこそ、わたくしたちは深く自覚をしなければならない。伝統とか芸術とか歴史とか、そうした言い方に限りなく括弧をつけていくことによって、今回ついに、ある普遍性という言い方に恐らくたどり着いたと思いますけれども、ここから入っていって、さらにさらに深めてゆこうと思います。

第四章　純粋な「音」のままで立ち上がる「詩」

「何ひとつ書く事はない」

さて、現代の詩で、最も多くの読者を持っていらっしゃる谷川俊太郎さんという非常に大きな詩人がいらっしゃいますが、表面的にはとてもわかりやすい詩の姿をしていますけれども、谷川さんの初期の作品の中に、忘れられない「鳥羽」という作品があります。伊勢志摩の近くの、恐らくこれも古い万葉以前の地名でしょうね。「鳥羽」ということの表記ができるより前に「とば」という、この言い方、地名と言ってしまってはいけないような、そういう詩の光を宿しているものがあったはずで、その「鳥羽」というのはこういう詩です。

何ひとつ書く事はない
私の肉体は陽にさらされている
私の妻は美しい
私の子供たちは健康だ

本当の事を言おうか
詩人のふりはしてるが
私は詩人ではない

私は造られそしてここに放置されている
岩の間にほら太陽があんなに落ちて
海はかえって昏（くら）い

この白昼の静寂のほかに
君に告げたい事はない
たとえ君がその国で血を流していようと
ああこの不変の眩（まぶ）しさ！

「何ひとつ書く事はない」、第一行から驚くべきことを言っていらっしゃいます。「詩人のふりはしてるが　私は詩人ではない」とまでも。ところが驚くべきことに、その「書く事がない」ことが詩になっているんですね。もうそこで「詩」が成り立ってしまっている。表面上の「意味」とは別の次元で。

そしてこの作品に詩としての深さ、輝き、力強さをもたらしたものはおそらくは、はじめに申し上げました「鳥羽（とば）」という「呼び名」、すなわち純粋な「言葉」の響きだったのです。それこそが詩の光なのですね、これによってもたらされたのです。例えば三連目の「岩の間にほら太陽があんなに落ちて」。これは、「とば」という詩の光の声のあらわれ、そんなふうに言うことができると思います。

伝える「内容」がなくても、この「鳥羽」のように、何か一つの言葉さえあれば、詩は成り立ってしまう、いえ、むしろ、より正確に言いますと、詩が立ち上がってしまう、始まってしまうのです。「私は造られそしてここに放置されている」という詩行には、まさしくそのような受け身の詩人、いえ、「詩人ではない詩人」への詩の突然の「立ち上がり」が示されているのではないでしょうか。少なくともそんな詩のあり方があり得るというところが小説とは異なった、詩の不思議なところであり、また、ほんとうのよい詩とは、むしろそのようなものなのだろうと思います。

タゴールとランボー

それでいまふと思い出しましたのは、インド、バングラデシュの大詩人でしたラビンドラナート・タゴールです。だいぶ昔のことになりますけれども、タゴールの伝記を読みましたら、こんなことが書かれておりました。タゴールがたしか十四歳のときですが、けっこう裕福なうちの坊っちゃんだったんですけれど、窓の外で洗濯女の人たちが、「あら、雨降ってきたわ。葉っぱが揺れたわ」、そういう声がしたのを聞いたんですね。その言葉に少年タゴールの心が驚いてしまったことが、タゴールが詩を書く発端になった、と。

驚くべきことにそのことがわたくしの心に残っていて、……それが驚きということの証拠ですけどね、……詩の謎のある兆(きざ)しというか、証拠というか、しるしなんですけどね、それでわたくしは、何にも知らないベンガル語で覚えてしまったのですが、そのときの言葉というのは、

ジョル・ポレ、パタ・ノレ

という言葉だったのです。

「ジョル・ポレ、パタ・ノレ」。この「音」によって、わたくしの心も十四歳の少年タゴ

ールが、窓の外から女の人の声がして、「雨降ってきた、葉っぱ揺れた」という、どこかからの別の声を聞いたその瞬間を察知したのです。こんな、もしかしたら些細なとしか思われないようなふとしたつぶやきのような、言葉の「音」、その「響き」、そんなところから、詩は立ち上がってくるのです、いえむしろ、「立ち上がってしまう」、そう受け身のかたちで言った方がむしろよいでしょうか。これもまた、ネガティヴ・ケイパビリティのはたらきの、一つの例なのかも知れませんが。

「音」で成り立つ詩

さらに「音」について考えてみます。

アルチュール・ランボーに「母音(ぼいん)」という有名な詩があります。

短い詩なので、ちょっと鑑賞ふうに読んでみましょう。

母音

黒いA、白いE、赤いI、緑のU、青いO、母音たちよ、
ぼくは、いつの日か、お前たちの秘められた誕生を語ろう。

A、耐えがたい悪臭のまわりでぶんぶんと羽音を立て、
きらきら光るハエの、綿毛に覆われた黒いコルセット、
影の入り江。E、湯気とテントの純白、
高慢な氷河の槍、白装束の王たち、傘形花のおののき。
I、緋の衣、吐かれた血、怒りにかられた、
または悔悛に酔いしれた、美しい唇に浮かぶ笑い。

U、もろもろの周期、緑の海の神々しい震動、
動物たちが放たれた放牧地の平和、錬金術が
学究の偉大な額に刻印する皺の平和。

O、かん高い奇妙な音を響かせる〈至高のラッパ〉、
いくつもの世界と天使たちがよぎる静寂、
──オメガよ、〈かの方〉の〈眼〉の紫の光よ!

(『ランボー詩集』粟津則雄訳、新潮社)

「黒いA（A noir）、白いE、赤いI、緑のU、青いO、母音たちよ、／ぼくは、いつの日か、お前たちの秘められた誕生を語ろう」

「いつの日か」というところ、ここに時間の継ぎ目があるんだな。

「A、耐えがたい悪臭のまわりでぶんぶんと羽音を立て、／きらきら光るハエの、綿毛に覆われた黒いコルセット、／影の入り江。E」

「影の入り江。E」っていいね。フランス語が読めるような気がしてきた。

「（E、）湯気とテントの純白、／高慢な氷河の槍、白装束の王たち、傘形花のおののき。／I、緋の衣、吐かれた血、怒りにかられた、／または悔悛に酔いしれた、美しい唇に浮かぶ笑い」

この転換の進行の速さ、闊達さ、素早さ。

「U、もろもろの周期、緑の海の神々しい震動」

わあ、すごい。

「動物たちが放たれた放牧地の平和、錬金術が／学究の偉大な額に刻印する皺の平和」

「皺の平和」とは何ですか。こんな奇跡のような言葉、どうして言えるんだろう。

「O、かん高い奇妙な音を響かせる〈至高のラッパ〉」

何かランボーの耳の中に途方もないところから響いてくるラッパが聞こえるな。

「いくつもの世界と天使たちがよぎる静寂、／――オメガよ」

ベケットよ、ここに静寂が出てくるぜ。

「〈かの方〉の〈眼〉の紫の光よ！」

ここになると、色を超えてしまった光ですね。色が光に帰ったんだ。これが隠された、わたくしたちの宇宙の隠された詩の大陸の岸辺の輝きの最も神々しい一例だろうと思います。

「U（ウ）」の音の特権性

このランボーの「母音」の感じがわたくしにも少しわかるなと思いますのは、……ちょっと違うかも知れませんけれど、……わたくしもほんの少しだけですが、似たような経験をしたことがあったからなのでした。

わたくしの場合には、「U（ウ）」という音だったのですが。

あれはイタコの間山(まやま)タカさんの傍らで聞いていたときのことでした。まだ戦争の名残りがあったころだったから、戦死者の霊魂を降ろすわけです。「うちの死んだ息子はどうでしょうね、出して降ろしてくださいませ」って、「それじゃあやるべえ」っていうんで降ろしていくと、靖国神社(やすくにじんじゃ)から出てきた若い兵隊さんが、「ああ、こうしてこうしてああして……」、「おらはウがないだば、……お土産ももらえねで、靖国へ帰る」なんて言うんです。東北弁だからよくわかんないのだけど、素晴らしいバイブレーションをもらったので、恐山(おそれざん)から急いで下りて、弘前の先の嶽(だけ)温泉に行って、宿のお手伝いさんをとっ捕まえてテープ聞いてもらったんですね、「これどういう意味だ?」って。

そうしたら、宿のお手伝いさんが言うには、「おらはウがないだば」って言っているというのです。その「U(ウ)」っていうのは「運」、「運命」っていう意味なのですと。そのときに驚きましたのは、この「ウ」という「音」だけが純粋に立ってきたんですね、わたくしの耳に。しかも「ウ」、というよりもむしろ「U」と表記したほうがより正確であるような純粋な「音」として。これはわたくしの耳が驚いた、稀有な瞬間でありました。

でその瞬間に、あっ、「そうだったのか」と思った。というのは、ブラジルにいたときに、半年ぐらいかけて「花火の家の入口で」という詩を書いたのですが、その詩のコアになっていたのがまさしくこの「U(ウ)」だったことに気づいたのです。ご存じの方もいらっしゃると思いますが、ポルトガル語では「L」を「U(ウ)」って発音しますよね。この「U(ウ)」っていうのは微妙な、美しい、外国人にはとても発音の難しい音なのです。わたくしにも発音ができないのです、この詩の中の、例えば「薄いヴェールの丘にたち、静かに〝病い〟を待っている／――Gelsonジェウソンの言葉」の「ジェウソン」の「L」もこの「U（ウ）」っていう音です。そしてこの詩のコアとなって動いているのが、まさしくこの「U（ウ）」という音だったのです。そしてこれはほぼ間違いなくイタコちゃん、あるいは若い兵士が亡霊として出てきて、「おらはウがないだば」、と言ったのを聞いたときに、この「U（ウ）」というものの通路がどこかわたくしの中に開いていて、おそらくはそれが「花火の家の入口で」を、ブラジルで書かせることになったものなのです。この「詩の通路」のことを考えていますと、怖気（おじけ）立つとか怖気をふるうということがありますが、……そんな未知の、未経験の空気にさらされるような気持に襲われていました。

　言語の垣根を超えて働いている「詩の抜け道」「抜け穴」のようなもの。「抜け穴」をもう少し違った言い方をしてみますと、「輝くような細道（小道）としてのブラックホール」のような、もしかしたら「詩の奥の細道」のようなもの、そのようなものの通路が思いがけない瞬間に、開いて、それが、思いがけないところへと通じていった、……そんな体感を得た、それは不思議な経験の瞬間でした。

　このような、わたくし自身の経験に引きつけた上で解釈をいたしますが、純粋な「音」というものが、ただそれだけで、すなわち、それが立ち上がった瞬間には「意味」を伴ってはおらず、ただ純粋な音のままで、こういい返すことも出来るのでしょうか、根源のすがたのままで、「詩」として立ち上がってしまう瞬間というものが、おそらくは存在しているのでしょう。ランボーのこの詩は音と色の「コレスポンダンス」とか、いろいろな解釈が可能なのでしょうけれども、わたくしといたしましては、そういった「理屈」の前に、ランボーはやはり「A」、「E」、「I」、「O」、「U」という、「音」自体の純粋な響きにこの瞬間に出会い、その驚きが、この宝石のような小品を立ち上がらせることになったのだ、……そう考えてみたいのです。

これは、ポール・ヴェルレーヌが言いました、「すべての芸術は音楽の状態を憧れる」ということとは、一部分は重なるとしても、やはりまったく異なる事態でしょう。おそらくは、ヴェルレーヌが苦心をいたしておりました、美しい語の響きを互いに交響させ合うことによって詩を成り立たせる、といったことではないのです。そのような人工的なと言いますか、意識的に「構成」をしていくような世界ではない。ここで言います「A（アー）」だとか「U（ウ）」というのはもっと根源的なもの、何か言葉の素粒子（そりゅうし）のようなものがひょっと顔を出したというような稀有な事態なのですから。

ランボーのこの「母音」という詩はそのような何か根源的な感覚に、やはりどこかで触（さわ）っている。ということは、イタコさんの口から漏れた「U（ウ）」の音にランボーの「母音」を認めたわたくしの心もまた、こうした途方もない奇跡的な、隠された極限的な宇宙の輝きの一端にここで触れたことになりますね。

朔太郎の「ula」

朔太郎さんにも「意味」ではなく、ただ純粋に「音」によって導かれ成り立ってしまったような詩があります。この「沼澤地方」なんかがそうです。ここに出てくる「浦」というのは、「ula」、朔太郎さんが大好きだった、エドガー・アラン・ポーの「ウラリウム」という詩にインスピレーションを受けているのですけれども、

蛙どものむらがつてゐる
さびしい沼澤地方をめぐりあるいた。
日は空に寒く
どこでもぬかるみがじめじめした道につづいた。
わたしは獣(けだもの)のやうに靴をひきずり
あるいは悲しげなる部落をたづねて
だらしもなく　懶惰(らんだ)のおそろしい夢におぼれた。

ああ　浦！

やはりランボーの「母音」に近い世界に接しています。

もうぼくたちの別れをつげよう
あひびきの日の木小屋のほとりで
おまへは恐れにちぢまり　猫の子のやうにふるへてゐた。
あの灰色の空の下で
いつでも時計のやうに鳴つてゐる
浦！

これが詩の幻の巨大な中空の、天空の時計ですね。やっぱりちょっとポーの短編のような世界だな。

ふしぎなさびしい心臓よ。

これを「心臓」と名づけてるね、朔太郎は。さすがだね。

ula!
　ふたたび去りてまた逢ふ時もないのに。

　この「浦」という表記を、朔太郎さんは「ula」とも書いておりました。「鳥羽（とば）」、「A（アー）、母音」、「浦（ウラ）」……なんだかとりとめのないことのようにも思いますけれども、ここには「詩」というものの、根源の一端が、やはり貌をのぞかせているのです。

言葉の極限へ、ベケット

　しかし、言葉、表現という問題をぎりぎりの極限まで追い詰めた人という意味においては、これもまた、通常の意味の詩人とはかなり性格を異にしておりますが、やはりサミュエル・ベケットに触れずにこの章を終わることはできませんね。ベケットに触れると言うことは、わたくしといたしましても恐ろしいような、しかし決して避けては通れないことではありますけれども、宇野邦一さんが訳し直してくださいました最後期の三部作の一つ、『名づけられないもの』という作品、全編ほとんど意味がとれないようなすさまじい作品です、その最後の一部をここでも鑑賞的に読んでみたいと思います。

それは沈黙、沈黙の上のわずかなごぼごぼ、ほんとうの沈黙ではなく、私が口まで耳まで浸かる沈黙ではない、私を包み、私をはぎ取り、私といっしょに呼吸する沈黙ではない、ほんとうの沈黙、溺死者の沈黙、私は何度か溺れた、それは私ではなかった、私は窒息した、私は自分に火をつけた、木切れや鉄棒で頭をたたいた、それは私ではなかった、

ちょっとここで止めますけどね。こうして声を発して聞いていますと、この間合いの間隙の、呼吸のすき間に、止めることができないような力がみなぎってきているのが感じられます。これは、恐るべきことに最後の章、約三十ページ近く、こうした輝くような呼吸の光が立ち上がってきて、ピリオドが全くないような世界が出現してくるのです。

最晩年の『Worstward Ho（いざ最悪の方へ）』などの最後の作品を書く前に、「まだ少し苦しむ力が残っている」とそういう言い方をしたベケット。西洋の芸術の、特に音楽的

な呼吸のぎりぎりのところにまで行った人。いわゆる小説とかそうしたものではとても届きようのないようなところへの径を、ついに存在せしめたベケットの存在があることを、わたくしは申し上げる必要を感じております。

もう一つだけ、久しぶりにやはり宇野邦一さん訳の、ベケットの『見ちがい　言いちがい』、これはわたくしも随分愛読したもので、その最終部分をご紹介しておきます。声に出して、読んでみるということは、やはりすばらしいことだな。ここに演劇ということの根源があるんですね。ではご一緒に、少し読み進めてみましょう。

　決断は下されるとたちまち、

「たちまち」で切れるんですよ。

　あるいはむしろしばらくして、

*サミュエル・ベケット（一九〇六～一九八九）——アイルランド出身のフランスの劇作家・小説家。英語とフランス語で執筆。不条理演劇を代表する戯曲作品『ゴドーを待ちながら』の他、ヌーヴォー・ロマンの先駆けとなる前衛的な小説『ワット』や『モロイ』で知られる。一九六九年にノーベル文学賞を受賞。

ここで切れる。

何というか取り消される。最後の最後を閉じるために、どう言いまちがえるか？　とにかく取り消される。いやカーテンが閉じる時の最後の残光のように、

ああ、これは割合わかりやすいですね。

少しほんの少し、

ここで切れるんですよ。するとその切れたところで光が差すでしょう。

ゆっくりと散ってしまう。そっと静かに、ひとりでに、幽霊の手に動かされ、一ミリずつ閉じていく。

これがベケットだな。

さらばさらば。それから完全な闇、低い弔鐘の前ぶれ、ピッという愛しい音。

この「ピッという愛しい音」、こういうところに詩という巨大な氷山の岩影の光がありますね。

終わりの始まり。最後の秒の最初。すべてを貪ってしまうために、まだ十分残っているとして。

ここで切れるんですよ。

一秒も惜しんで貪るように。

ここでまた切れるんです。この「。」は、折口信夫が「。」を置いたように、五分だか一分なんだか、十秒なんだか、十年なんだか、百年なんだかわかんないような、そういう時間の光の柱です。

空と大地そしてあらゆるごたごた。もうどこにも腐肉の屑はない。舌舐めずりはもうたくさん。いや。

「いや」で切れてる。

もう一秒。

ここで切れてる。

一秒だけ。

そこで切れてる。

この空虚を吸いこむ間だけ。

これはすごい、すごい光の柱ですね。

で、最後の行、

幸福を知る。

この「幸福」、わたくしたちの言語では、「幸い」と「福」と漢字で書きますけれども、英語の原文では、「Know Happiness」、ここに「『ハッピネス』の『ピッ』という愛しい音」が響いてますね。この「p＝ピッ」が、その時のベケットの心の核の響きだったのです。

こうなりますと、劇、小説、詩という区分けをもう超えてしまって、根源的な隠れた、ある「大陸」の姿がかいま見えてくるはずです。存在しないかと思われた幻の巨大な記憶の大陸、あるいは氷山の影の一角がこうしてあらわれてきます。

「声」の問題

もう一つ気がつきましたことを申し上げたいと思います。五十年ほど前のことを思い出しながらお話しをしているのですが、日付を詩の中に書いていますからよく覚えております、一九七〇年一月四日、下北沢で雪が降ってきていましたときに、一九六〇年代の激しい時代の炎の照り返しを受けて、「現代詩手帖」という雑誌に「古代天文台」という詩を書きました。

それが、英訳もされ仏訳もされ、いろんな言葉に訳されて、朗読にかけるということをする象徴のような、まあささやかなものですけれども、そういうものになっていった詩なんですけれども、この詩について、わたくし自身はそれほどよい読者ではなかったのですが、石原吉郎さんという大切な詩人のこんな発言があったことをつい最近、偶然でしたが、それを知りました。

石原吉郎さんは、一九五〇年代から六〇年代にかけて、吉本隆明さん、谷川雁さんと並んで、時代の詩の思想の中核を形づくられた方です。ロシア語を専門になさったために、敗戦後、シベリア抑留、中央アジア抑留と、ソ連の強制収容所で途方もない苦難の生を十二、三年にわたって過ごされて、ようやく舞鶴に興安丸でお帰りになった。そして、『サンチョ・パンサの帰郷』という第一詩集を出されて、H氏賞を受けられた。そのような、ある時代のとても大事な指標になったような詩人でいらっしゃいます。

その石原吉郎さんは、ちょうど勉強のために読み返しておりました、なかなか優れた本ですけれども郷原宏さんの『岸辺のない海　石原吉郎ノート』（未來社、二〇一九年）の中の

「石原吉郎年譜」によりますと、一九七七年（昭和五十二年）六十二歳のときに、十一月九日、東村山図書館で講演会（「現代詩について」）があって、その講演会の日の四日後、五日後に、石原吉郎氏は亡くなられた、その古い記録が送られてきたのです。ほぼ半世紀を経てです。ある知人が何を思ったか、「あなたについて石原吉郎さんが語っている記録があるよ」と言って、「東村山市立図書館だより」昭和五十二年十一月三十日というのを送っていただいたのです。このお話は郷原さんの本の年譜によりますと、入浴中に急性心不全でお亡くなりになった石原吉郎さんの最後の声だったようです。その部分を少し長めに引用しておきます。

現代の、孤独の
歌うたう
銀（しろがね）の、白馬よ、ぼくの死霊よ
言語雪ふる、雪崩ついて疾駆せよ、疾駆して

＊石原吉郎（一九一五〜一九七七）——詩人。若いころにキリスト教に関心を持ち神学校への入学も考えたが、一九三九年に応召、ロシア語通訳としてハルピンの関東軍に配属される。敗戦後、旧ソ連によって八年間シベリアに抑留された。帰国後、その体験を文学のテーマに昇華させ、多くから共感を得ることになる。詩集に、『サンチョ・パンサの帰郷』、『北条』、『足利』、『満月をしも』。

実名にむかえ
ああ
空に魔子と書く
空に魔子一千行を書く
詩行一千行は手の大淫乱ににている！
空に魔子と書く
空に魔子一千行を書く
魔子の、緑の、魔子の、緑の、魔子の、緑の
魔子の、緑の、魔子の、緑の、い触れけむ
純白の恋人、魔子に変身する！
死体のように正座する、一行の人名に触れ
る！
いま
呪文が、一女優の名をかりて出現した！

（「古代天文台」）

この〈空に魔子一千行を書く〉というのは、吉増剛造が朗読する時には十度くり返すわけです。わたしたちが読んでいる時には〈空に魔子一千行を書く〉なんていう詩句はほとんど意味がないんですが、彼が読むと〈空に魔子一千行を書く〉という一行一行が全部ちがうんです。読む詩と書く詩のちがいがそこにはっきりわかると思うんです。戦後の詩は全部、近代詩ときれたところで始まっていると思われているわけですね。でもね、それ（近代詩とのつながり）を復元する動きが若い詩人たちの間にあるわけです。その若い詩人たちの意志をぼくは一種の循環運動のような形でうけとっているわけです。でも吉増剛造の〈空に魔子一千行を書く〉というのはすばらしいですよ。十ぺん読むんだね。〈空に魔子一千行を書く〉という時のちからの込め方が、一回一回ちがうんですよ。

さすが石原さん、「詩句はほとんど意味がない」とここでおっしゃっています。しかし、それを読むときの力の込め方で、一回一回がちがう、そうも鋭く指摘をされております。やはり「詩」には、このように「音」によってしか、あるいは「声」によってしか「立たない」という面があるのではないでしょうか。

たしかに声に比べると、印刷されたものは「のっぺらぼう」ですよね。この「空に魔子一千行を書く」という詩行にしても、印刷ではたんなる同じ詩行の繰りかえしにしかならず、声に出したときのようなニュアンスの差違は出ないですから。クラシック音楽の譜面と実際の演奏の関係にも少し似ているのでしょうか。譜面に書かれてある音符や指示をただなぞるだけでは、曲の再現にはなるかも知れませんが、「音楽」になることはできません。譜面がほんとうに音楽になるためには、演奏家の肉体の介在、……たとえばピアニストであれば個々のタッチの違いであり、声楽家であれば人それぞれの声の質の違い、……がなければなりません。そのような、これは「肉化」と言ってもよいでしょうか、具体的に「詩」を声として出すことによって、印刷の字面(じづら)だけの時とは異なった、別の次元を新たに作品に与える、ということを、どうやらわたくしは無意識のうちに行い続けていたようです。

石原吉郎さんが、わたくしが五十年前に書きました「古代天文台」を、まあ一種の当時の詩的な表現としては暴挙というのに近いように「朗読」をするという、しかもジャズと一緒に「朗読」をするという行為に出たのをたぶんご覧になって、そこに形を認めようとされた。そのことに、時間を超えて驚愕をしておりました。それは、この書物『詩とは何か』を語りつつある、あるいは書きつつあった、途上でのことでした。その驚きを皆さんに伝えようと思いました。敬意を込めて、……。(石原吉郎氏については、第三章二七三頁にも)

ディラン・トマスの濁声の内臓言語性

どうやらわたくしにとっては、やはりこの「声」ということが、「詩」と密接に繫がっているようなのです。そのことをこのように「詩とは何か」という問題についてあらためて考えを深めてまいりますす過程において、いま再確認をいたしております。そのことに関して、これから、さらに少し深めてゆきたいと思います。

第一章の冒頭でご紹介をいたしましました、ディラン・トマスの朗読の声を聞いたことがありました。そしたらそれがものすごい濁声（だみごえ）、……濁った声と書きます、……だったのです。先程、この濁声のことを、「一瞬の啞性（おしせい）のようなもの」（一二〇頁）といい直してみましたが、そしてこの「濁声」の深さは、尋常なものではないということを直感しておりました。聞いたのが六〇年代の初めでしたから、そのすぐ後にだったでしょうか、今度はリバプール出身のビートルズの声も聞こえてまいりました。ちなみにディラン・トマスはウエールズ、ビートルズもルーツはアイリッシュ。どちらもケルト的なんですね。あの島国の深い歌声から漏れるようにして、その根源にある、聞こえない声が聞こえてきていました。「声」だけではないのですね、未知の「詩の声」が聞こえて来ていたのです。

またさらには、ディラン・トマスから影響を受けたボブ・ディラン、……「ボブ・ディラン」という芸名の「ディラン」は、ディラン・トマスから取ったんですね、……。もうひとつ、ここで気がついたことでした。ディラン・トマスが死んだのは、たしかアメリカでの朗読旅行の最中だった筈です。ニューヨークでしたでしょうか、言うなれば客死、芭蕉さんの言う「旅に病んで」にも近かったのかも知れません。これは、T・S・エリオットがイギリスに帰化したのとはまったく違っていて、この「ディランの旅」に心がとても引かれていることに、気がついていました。あるいはアレン・ギンズバーグの「HOWL(吠える)」という声に震撼させられた世代でもありますし、もちろん深いところではジャズの声を、例えばサッチモのあの体の奥底から裏返って響いてくるような声も聞いております。

さらにわたくしたちは随所で、記憶の中からは、わたくしは浪花節(なにわぶし)を聞いて育った世代ですから寿々木米若(すずきよねわか)や、あるいは大相撲の呼び出し(特に小鉄さん)の声も、広沢虎造(ひろさわとらぞう)の浪花節の声までもが聞こえて来て、あるいは文楽(ぶんらく)の大夫(たゆう)の声までもが聞こえていて、そういう日本の伝統芸能の声までもがすべてまじって聞こえているのです。そのためにいろんな批判にさらされたり、お小言をいただいたりしながらですが、外国でも日本でも「詩」を声にするという作業をずっとわたくしは続けてきました。

そのときに何をしていたのかといいますと、自分の出した声からもそうなのですけれども、どうやらその、自分が出している声の向こうから漏れてくるような、もう一つの違った異なった声、敢えていいますと、「言語の奥底の声」です。そして、つまり、これが、mute（ミュート）、黙音、弱音、消音の小さな道だったのです。それを聞いているようでした。それは序で申し上げたヴァルター・ベンヤミンの「純粋言語」に通ずる径であったのかもしれません。

そうしたことに気がつく発端となったのが、どうやら約六十年前に耳にした、ディラン・トマスのあの深い酔った濁声であったような気がいたします。それが絵画表現になると、例のフランシス・ベーコンの、体の表と裏がひっくり返り、裏返しになって、中の内臓の方が外側に出てしまった、剥きだしにされてしまったという、……吉本隆明さんが三木成夫さんの論を敷衍（ふえん）しておっしゃった「内臓言語」のような、……あのような表現になるのかもしれません。そうしたことを、はっきりとそれとは名指

フランシス・ベーコン『Head Ⅵ』（1949年）

すことのできないままに、詩は背負ってきているのです。

これは十五年くらい前だったでしょうか、早稲田で教えていた頃に、生徒さんたちにジミ・ヘンドリクスの音楽を教えてもらったのですね。それでもうぶっとんじゃった。ジミヘンって、まさにこの「内臓言語」そのものです。エレクトリックギターが、あるいはPAをふくめたサウンドシステム全体が、彼の喉、あるいは内臓なのです。楽器から直接、彼の肉声が、「歌」が聞こえてくる、ギターが彼の喉となって歌っている、……しかもまた、ここで聞こえてくるものも、またやはりあの「濁声」、……電気で記号化されているはずなのに、肉体的な、「内臓言語」が聞こえてくる。これはもう、ほんとうにまったく稀有なことなのです。

わたくしも、「フランスのジミヘン」、ジャン゠フランソワ・ポーヴロス氏とはずいぶんと前からセッションを重ねていましたが、迂闊にしてそれまで「本家」の方を聞いたことがなかった。で、聞いてもう、これはただならぬものだと思ったのです。

しかしもうこうなりますと、国境ですとか言語の違いとか、いえ、それどころかもうすでに「詩」は言語さえも踏み越えて、「ジャンル」の違いというのは恐らくなくなってしまって、わたくしたちの心が必死になって聞こうとする声が漏れてくる根、そこにこそ、「詩」と言われるものを見いだしてゆくことになるのでしょう。

そもそも「声調」というものは、果たして詩や音楽だけに限られたことなのでしょうか。たとえばジェラール・ド・ネルヴァルのドローイングなどにも、わたくしは同じく通底をしてまいります、根源的な「詩」の息づきを感じるのですが。

ネルヴァルの描いた、絵とは言えない、地図とも言えない、根源的な、といって、いわゆる狂気の人が描いたと一目でわかるような代物じゃない、未知の図柄。これは及びがたい世界で、これとの出会いが一つのきっかけとなったといいますか、触発されたといいますか、そういうことをしなきゃいけないということをわたくしも無意識のうちに学んだのです。

絵画表現のなかの「詩」——ヴァン・ゴッホ

ということで、前節を引き継ぎまして、今度は絵画表現において「ほんとうの詩のありか」を探求しようとした代表的な画家として、ヴァン・ゴッホについて考えてみたいと思います。

これはアントナン・アルトーに添ったいい方なのですが、ヴァン・ゴッホの精神の手に、魅惑されるのは、ゴッホの心でも「根源乃手」は、間断なく働いていて、「事物の海嘯のようなざわめきを理解しうるほど充分に開いた耳」（アントナン・アルトー『ヴァン・ゴッホ』、ちくま学芸文庫、三〇頁)、あるいは「みずから動く力を持たぬ自然に属する事物を、まるで全身をはげしく痙攣させているように描いた」(同書、一二三頁)、あるいは「人が充分近くまで接近しえたときにあらわなすがたで見てとられた、裸形の純粋な自然である」(同書、五一頁)。ヴァン・ゴッホ自身の言葉でいいますと、「デッサンするとは……感じられることとなしうることとのあいだにある眼に見えぬ鉄の壁を通りぬけるような仕事なんだ」(同書、四六頁)。アルトーに添って、……といいながら、すでにもう、わたくしたちの脳の存在しえないような壁に、なにか引っ掻き傷のようなものが感じられ、たとえば『糸杉』の夜の空のあの大渦巻さえも、ゴッホがいう「鉄の壁を通りぬけるような仕事」と、わたくしたちにも、まことに身近に感じられてくるのだと思われるのです。

われひとともに「間断なく働く透視力」という程度のいい方で、これまでは理解したような気になっていたのですが、小林秀雄(こばやしひでお)のように「狂気」といういい方で済ませていたことが恥ずかしいと思うところにまで、わたくしたちはもうすでに辿り着いているのではないでしょうか。

「自然」やあるいは「ひまわり」に「海嘯のようなざわめき」を覚えるといわれて、それに類した、限りなく近い「ノイズ」(雑音のようなものの空気、気配)を感ずることが叶うところにまでわたくしたちの現代の、……あるいは、現代の感受力は近づいて来ているのです。ここでもういちど、その「現場のような場所」に戻ってみると、ゴッホは、「鉄の壁を通りぬけるような仕事なんだ」と云っています。ここで、わたくしあるいはわたくしたちは「不可能」、「時の阻止の手、のようなもの」、……（これは咄嗟の言葉でした）、……に、出逢って、ほんのもう少しだが、アントナン・アルトーの、これもおそらく手さぐりの思考、……そうアルトーもまた「根源乃手」のひとであったのだが、もう少し先まで、わたくしたちが求めようとしている「純粋言語」への道を念頭に考えてみたいと思います。

次の引用の文中で、アルトーは二度「束（たば）としてほとばしらせる」といういい方をしております。この「束」は、どんな「原語」なのか？「塊り」なのか「滲み」なのか、なにか「集まって来ているものたちの『ざわめき』のようなものなのだろうか」。

> ヴァン・ゴッホが画家であるのは、彼が、自然をふたたびひとつに寄せ集め、言わば自然にふたたび発汗させ汗を流させたためだ、と言いたいのだ。さまざまな要素の長

＊アントナン・アルトー（一八九六～一九四八）――フランスの詩人・俳優・演劇家。俳優活動と並行して詩人としてシュルレアリスム運動に加わるが除名される。統合失調症による収監体験から『ヴァン・ゴッホ――社会による自殺者』を執筆、評価された。「器官なき身体」という独自の概念は、ジル・ドゥルーズなどに大きな影響を与え、「残酷劇」を提唱して前衛演劇のパイオニアとなった。

ヴァン・ゴッホ『鴉の群れ飛ぶ麦畑』

期にわたる粉砕作用を、アポストロフィーや線条やコンマやダッシュのおそるべき要素的な圧力を、その画面で、束としてほとばしらせたためだ、言わばさまざまな色彩の記念碑的な束としてほとばしらせたためだ、と言いたいのだ。

（前掲書、四八―四九頁）

「束（たば）」は、faisceaux（単数 faisceau）とのこと、稲や藁の匂いと感触がありますね。ここまで来ましたら、率直に、わたくしの文意といいましょうか、わたくしの思考の底にあるらしいところの一つの道筋を申し上げておきます。詩人、演劇人であったアルトーの書く人としての手、「根源乃手」を、右の引用の「アポストロフィー」、「線条」、「コンマ」、「ダッシュ」等のいい方に認めていて、おそらくゴッホ自身は、手紙等を書く人ではあったのですし、それがゴッホの心の芯にはあるのですが、決してそうとは意識をしなかったであろう、この「書く人」という解釈あるいはヴィジョンに、次なる表現の未来をみているのだといえば当たるのでしょうか、……。

おそらくメスカリン等を使ったアンリ・ミショーの線描＝詩作にも、このような「滲(しみ)」とも「墨跡(すみあと)」とも、「そこでとどまっている線の窪みというしかないようなしるし」が出現をしていて、あるいは狂気の詩人、ジェラール・ド・ネルヴァルには、エルンスト、クレー、ゾンネンシュターン等を遥かに越える「しるし」としかいいようのないものがあらわれてきています。

それを念頭に置いて、もういちどゴッホに戻ってみるのですが、その死の二日前に描かれた『麦畑』の「からす」どもがアルトーのいう「まるで下からわき出た……黒い傷あとのよう」にして（前掲書、二七頁）わたくしたちの前にあること。そこに向かいつづけることが、わたくしたちの未来の「純粋言語」の小径へのひとつでもあるもののようです。

「未成のなにものか」を求め、手探りで

この章で取り上げました人々と作品にわたくしが限りなく心を引かれますのは、そのそれぞれの表現行為の中に、なんと言いましょう、「未成の、未分化のことば」、「渾沌」、……そういったものを何とかして摑もうとする心の「手」の動きを感じとっているからな

のだろうと思います。

表現というものは、通常、誰でもが使っている、ある意味においては「手垢の付いた」、すでに流通をしております「ことば」によってしか成り立たないとされておりまず。たしかにそうでなければ、通常言われる「コミュニケーション」は成り立ちませんよね。ですが、そういった「ちゃんとしたかたち」をいまだ取ってはいないもの、あるいは、いまようやく何らかの「かたち」を、……不細工ながらも、……取りはじめている、その途中途中のなにものか、そのようななにものかの、……もしかしたら先程の、大手拓次の「ふとい蛇」、あるいは黒田喜夫さんの「毒虫」のようなものかも知れないもの、……その瞬間、瞬間の起ちあがり、……そのようなものの紙一枚下の世界の響きを見つめること、そのような段階に、いまやわたくしたちの、この「芸術」と呼ばれる営みは、もはやいたっているのではないでしょうか。

ハイデガーはみずからの著作を「作品ではない、径である」と言いました。できあがった作品、例えば詩で言いますと紙面に印刷された作品は、もしかしたら死んだ標本にすぎないのかも知れない。それよりも、「作品」として固定される以前の一回一回の、「ことば」が立ち上がるときの「すがた」にこそ、ほんとうの「詩」は……少なくともその「素顔」は……現れるのではないでしょうか。

「本当の詩はどこにあるか」――「狂気」にもよらず、「麻薬」にもよらず、あるいは「正気」にさえもよらない、「根源乃手」へのたどたどしい、しかし、率直なメモをここで終えることにいたします。ありがとうございました。

第二部　詩の持つ力とは何か

加筆する詩人

第五章　詩における「若さ」、「歪み」

さて、ここまでわたくしの考えます「詩」というものの「あらわれ」の一端をご紹介してまいりました。ここからは、詩の下草道（したくさみち）といいますか、……いささか迷路か、稲妻走りに似たものになるのかも知れませんが、……思いの募りますままに、「草叢」に入って行こうと思います。

詩の「姿」

いきなりこんなことをいいますとびっくりされるかも知れませんが、詩はまず、活字になった時の「姿」がよくなければなりません。これはつい先だって、あらためて自らの作品において認識を新たにしたことでした。

先日、小林康夫さんの『日常非常、迷宮の時代1970-1995　オペラ戦後文化論2』（未來社）という非常にユニークな本を読んだんです。その本の最初のところに「黄金詩篇」が全篇引いてあったのですが、それを見たときに、わたくしの目が感心をしたんですね、「黄金詩篇」、まあ見事にきれいに紙の上で立ち並んでいやがるな、と。

黄金詩篇

おれは署名した
夢……と
ペンで額に彫りこむように
あとは純白、透明
あとは純白
完璧な自由
ああ
下北沢裂くべし、下北沢不吉、日常久しく恐怖が芽生える、なぜ下北沢、なぜ
早朝はモーツァルト
信じられないようなしぐさでシーツに恋愛詩を書く
あとは純白、透明
完璧な自由

（「黄金詩篇」より）

言葉たちが、もう刀で切ったようにきちっと立っていたんです。自分でも驚きました、「ええーっ、俺、知らなかったけど、こんな姿が出てきてるのか」と。恐らく無意識にはそのようにつくっていたのですね、それが作品として成り立っていた。内容じゃなくて、ぱっと詩を「見て」の立ち姿、つまり「詩」というのは、もう一発でわかるんです。頁を広げれば一瞬で。言葉の意味じゃなく、オーラがあるかないか、それが勝負です。

事実それを一目で見抜く人もいます。例えば、飯島耕一（いいじまこういち）さん。「最近はそういうページがねえやなあ」、「昔は、ジャン・ジュネなんか見たら一発でそれがあったからな」なんてよくおっしゃっておいでででした。こうして「詩」は、どこか深いところで、やはり絵画とか、書とかともつながっているのだと思うのです。

詩における「若さ」

また詩には根源的な意味において、若さがなければならない。「ヤング」じゃなくて、「フレッシュネス」というか、「新しい」という言葉はなるべく使わないようにしたいのですが、「驚き」というのに近いでしょうか、そういうものが大事です。わたくしのような老詩人でも、詩の中には若さがないといけません。

「普遍性」「永遠性」「若さ」。この三つは等価。つまり、ある意味において普遍性とは若さであるのだと思います。「生まれたて＝生まれたばかり」。そこにこそ、芸術の秘密の一つがあるという気がいたします。

「速度」

それからもう一つ、『我が詩的自伝』のとき、詩作というのは非常時性とぶつかっているんだということを申し上げましたけれども、それを以前の章でも取り上げましたカフカとつなげたいのですが、カフカには、突然、割れ目が生じて走り出すようなところがあるのですね。そのしぐさ、「カフカは太古のしぐさの宝庫である」という言い方をベンヤミンはしましたけれども、まさにそのとおりです。しかも、その始まりと終わりの割れ目みたいなところでのカフカのしぐさは、まさに全力疾走なのです。

第二章で引いた「アメリカ・インディアンになりたい望み」はまさにその典型でした。アメリカ・インディアンになれたら、だんだん手綱もなくなって、馬もなくなって、ただ疾走していく。わたくしが「疾走する」なんてことを言われるもとになっているのも、そういうところにもあったのだろうと思います。

それで気がついたのですが、わたくしは幼いころから李白とバイロンが好きでした。李白とバイロンが好きだったというのは、これも速度なんですね。ただ、急いで付け加えておきますけれども、この速度には、恐らく、「遅い」ということも同時に含まれているのだと思います。むしろ速度の変化、昔の車だったらギアを入れかえていたけれども、アクセルをもう目いっぱいふかしてみたり、ブレーキかけてみたり、そういう動きの変化に敏感かということ、それはすなわち、時間というものに、いかに敏感かということにもなってきます。

特に李白に感じたのは、「遅さ」、またさらには「小ささ」も含めての、宇宙の変化に非常に敏感な精神がこういうふうにしてあるんだというのにびっくりしたんですね。第一章でも取り上げました有名な「頭を挙げて山月を望み　頭を低れて故郷を思う」、これだけの詩句の中で、もう天地が動いているというすごさ。だから速度とは、微速、とても微細な、いっぽうではもう止まろうとするような速度でもあり、かつまたその一方ではあっという間に吹き飛んでってるようなものでもある。ということは、ほとんどの詩のすぐれたものが持っている特性がそれに入ってくると思います。

そういう意味においては、「速度」がないのはだめな詩ということになりますね。もっとも、といって、それは単なるテンポとも違うのです。例えば『万葉集（まんようしゅう）』の人麻呂（ひとまろ）の「夏

草の　思ひ萎(しな)えて　偲(しの)ふらむ　妹(いも)が門(かど)見む　靡(なび)けこの山」。聞いているだけで風景の形が浮かんでくるじゃないですか。茂吉はそれを「一大連続声調」と名付けましたけれども、わたくしはここにはもっと複雑なものがはらまれているのだと思います。心の中で動いている世界の景色全体の変化みたいなものをも含んでいて、しかもわたくしを含めました現代人の場合には、そこにはジャズや、あるいは視覚芸術やの、先人たちが経験し得なかった多種多様なあらゆるものを包含した、無尽蔵なものをも無意識の底に感じとっている。そこから届いてくるものの複合が速度だとしたら、これは容易ならないことですよね。

「ノイズ」

さらにまた、歪(ゆが)もう、歪(ひず)もうとしている心性が、隠された動因として、わたくしの中には働いているらしいことにも、気がつくことになりました。なぜ歪(ひず)まなければならないのか。詩の「きれいな」形を拒むのはなぜなのか。それはわたくしめの中に、「直線というのは存在しない抽象的なものである」という考えが根強くあるかららしいのですね。「もしかするとこの垂直ってやつも真っすぐの直線じゃないのかもしれない」、「稲妻みたいに折れていくようなものかもしれない」という思いがあるからなのです。わたくしの詩には「世界が曲がっているから音楽だ」という一行もあるのですが、どこかで曲がっている、歪んでいる、歪んでいる、あるいは坂道になっている、傾いている。必ずしも「バロック的」なものではないけれど、でも必ずやどこかに崩れ、歪み、ずれのようなもの、曲がりというものが遍在していて、それに対して常に目を見張っていなければならないという、ある種の直観に基づいた、信念のようなものが根強く存在しているのです。さらに、前の頁（一二〇頁）でいいました「一瞬の唖性のようなもの」、「沈黙」とも「吃り」とも決していえないような、そう呼吸の底か奥にあるものなのですね。

これは、とても大事なことです。これは、アフリカ大陸の人々の心の表現がジャズを通じてわたくしたちの血の中に入ってきたことによって新たな実現のなったものだともいえるでしょう。ですから例えば小林秀雄のように戦前に感性を確立してしまったような方には決して見られない、これは根本的にまったく新しい感性なのです。根源的な濁り、ノイズ、もう一つ裏にある暗黒の声、逆さまになったような人間存在の表現――ジャズを通過することによってわたくしたちはそうしたアフリカ大陸の始原と、はじめて接触をすることになったのです。この始原との接触というのは容易ならないものとの接触であって、もしかしたら根源的、無意識的に、さらに深いものなのかもしれません。

ただし、ジャズもまた、歪んでいるけれども、そこにはやはり根源的な「ハーモニー」があるのです。ノイズが入ってきているけれど、それはいわゆる単なるノイズではなく、そこには一つの美がある。

　ちょっと図式的なことを敢えて申し上げますけれども、「ハーモニー」と言われているものには実は二種類があるのではないでしょうか。一つは、音楽理論で言われるようなハーモニー。クラシック音楽の和声理論がその元になっていて、音が合っているとか、これは不協和音でダメだとか、わりと簡単に言えるようなもの。言うなればわかりやすい、理論としてのハーモニー。でも実は、この理論的に合ったハーモニーだけがハーモニーなのではないんじゃないか。一見、合っていないようでいて、実はどこかものすごく遠いところでは合っている、……そんな言うなれば、「遠心的な」ハーモニーというものも、実はあるんじゃないか。フリージャズのミュージシャンが常に探し求めているのが、この、お仕着せではない、ほんとうのハーモニーなんじゃないだろうか。そしてわたくしが常に求め続けておりますのも、こっちのほうの、「遠心的なハーモニー」なのだと思うのです。

　わたくしはミュージシャンの大友良英（おおともよしひで）さんとよく一緒に朗読のセッションをやりますが、これもノイズだとかフリージャズの巨（おお）きな地平なのです。ジャズとロックがものすごく新しかったのは、世界の文法を変えてしまったから。わたくしが小林秀雄までのものがぜんぜんおもしろくないと思うのも、そこにはジャズあるいはビートがないからです。

　ジミヘンもモーツァルトも根源的なハーモニーという意味では等価だという感覚は、小林秀雄は知らなかったでしょう。
あるいはまた、貧しいながらクラシックも聞いていたりしますと、その音の向こうにも、何かもっと深いところから聞こえてくる言葉が、何か心みたいなものが感じられるような気がします。これはこの書物の編集者の山崎比呂志氏から教えてもらったことですが、具体的にはロシア出身のヴァレリー・アファナシエフという人のピアノの表現を聞いてますと、そのピアノにさわる指先にも、心にも、幾重もの皮膜がついているような気がして、その皮膜を聞いているのです。ショパンが言っていたそうですけれども、音というのは固定される前のヒューマンな言葉であると。言葉になる前の最も深いところにある人間の感情を伝えるのが音だと。それを確かにわたくしたちも聞くようになっているのです。

ピアノを弾くヴァレリー・アファナシエフの「手」

アファナシエフでも、あるいはマイルス・デイヴィスでもセロニアス・モンクでもそうですけども、このひとたちはとてもゆっくりと演奏することが多いのですけれど、そのときに出てくる音と音とがほんのわずかに純粋に隣り合わせているんですね。そしてそうしたとき、ささやかだけれども思いがけない「純粋な声」が聞こえるような気がするのです。サッチモ、ルイ・アームストロングの濁声がその典型でしょう、これが「詩」というものの本当のありからしい。エミリー・ディキンソンの詩からもこの「純粋な声」が聞こえてまいります。

濁声として。

濁声

そうなのです、ほんとうの「純粋な声」というものは、ほんの少し、ずれているような、紙一枚、濁っている、かすかな濁声なのです。

第一章冒頭のディラン・トマスのところから、折に触れてわたくしはこの「濁声」の重要性を強調して参りました。直観的に言いますと、濁声というのは、通常、純粋に澄んだとされている声よりも、内実が豊かなのだと思うのです。先程は、これを、「吃る」といわずに、「一瞬の唖性のようなもの」(一二〇頁初出)と言葉をかえることによって、捉えてみようともしていました。それがおそらく「濁声」であり、「濁」なのです。ね。蒸留水っておいしくないじゃないですか。むしろこの濁声の方が、より微細と言いましょうか、

サッチモ（ルイ・アームストロング）

多くの素粒子を含んでいる。すくなくとも、ただ単に純粋なだけの声というのはわたくしにとっては退屈で、美空ひばりだったり、ルイ・アームストロングだったり、あるいは浪花節だったりの、あの微細な無数の襞が震えているような声の方に引かれるのですね。

でもね、これ、アファナシエフさんに聞いたんだけど、クラシックでもそうみたいですよ。アファナシエフさんの場合はピアノですが、ほんとうに理論上「合っている」ようにピアノを調律すると、ほんとうのハーモニーが出てこないというのですね。よい調律師は自分の耳で理論上の「合っている」状態から少しずらすんだそうです。「もうそんな仕事の出来る調律師もめっきりいなくなったなあ」ともおっしゃってましたけどね。つまりクラシックにおいてでさえ、「よい音」というのは、やはりちょっとずれている、つまり、もう自分の方に強引に持っていってしまうけれど、やっぱり「いい音」って言うのは濁声なんです。そしてたぶん、濁声の方こそがほんとう、ほんとうの「リアル」の声なのです。

まあ、そんなしちめんどくさいこと言わなくても、あのサッチモの深い声っていいじゃない。

ビート、そしてビート詩

これまでに何度か、古い「詩」意識との断絶ということについて述べましたけれども、やはりわたくしにとって、この断絶において、もっとも決定的だったのは、アレン・ギンズバーグを始めとするビート詩との出会いでした。

「ビート」まさに「叩く」。生の、「肉声」、「叫び」を、美意識によって取り繕うことを拒み、そのまま露出させようとする。ようやく「詩」はここに至りまして、はじめて「生」のリアルを生のまま、表出させることになったのです。

第一次世界大戦の直後に、「ダダ」という運動がありました。これも、世界大戦という大量殺人を初めて経験し、深い傷を負いましたヨーロッパの「もだえ」、「身をよじる」ような表出の衝動だったのですけれども、これは、あえて勇を揮い申しあげるのですが、やがてシュルレアリスムという、より美的に高度、洗練されてはいるけれども、やはりどこか、きれいに均されてしまった「主義」に収斂されてしまったなあという憾みを、……少なくともわたくしにとりましては、……否定できないのです。
「ビート」は目指すものが、そもそも違っていた。作品をきれいに「成立」させることよりも、むしろ一瞬の刹那に賭ける。伸るか反るか、生きるか死ぬかの一瞬、火花のように生まれる、……あるいはもしかしたら生まれないのかも知れない、……そんな可能性に賭けてみる。それも、「ビート」、まさに命を叩きつけることによって。

I

ぼくは見た　ぼくの世代の最良の精神たちが　狂気に破壊されたのを　飢えてヒステリーで裸で、
わが身を引きずり　ニグロの街並を夜明けに抜けて　怒りの麻薬を探し、
天使の頭をしたヒップスターたちが　夜の機械のなか　星のダイナモへの　いにしえの天なる繋がりに焦がれ、
貧乏で襤褸でうつろな目でハイで　水しか出ないアパートの超自然の闇で　煙を喫って夜を過ごし　都市のてっぺんをふわふわ越えながらジャズを想い、

高架の下で脳味噌を天にさらし　モハメッドの天使たちがよろよろ　光を浴びた長屋の屋上を歩くのを見て、
輝くクールな目で　方々の大学を通り抜け　戦争学者たちのただなか　アーカンソーと　ブレイクの光の悲劇を幻視し、
狂気ゆえ　そして　頭蓋骨の窓に卑猥な詩（うた）を出版したゆえに　学界からも追放されて、
ひげも剃っていない部屋に　下着姿で縮こまり　屑カゴで金（かね）を燃やし　壁ごしに**恐怖**に聴き入り、
陰毛のあごひげ姿で　ラレード経由　ニューヨークへの土産のマリワナを腰に巻いて帰ってきたところを逮捕され、
ペンキホテルで火を食うか　パラダイスアレーでテレビン油を飲むかして　死か　夜ごとおのれの胴を煉獄へ追いやるかし
夢で　ドラッグで　目覚めた悪夢で　アルコールとペニスと無限の睾丸で、
（……）

（「吠える」アレン・ギンズバーグ　柴田元幸訳）

＊アレン・ギンズバーグ（一九二六～一九九七）――アメリカの詩人。一九五〇年代半ばから六〇年代半ばまで続いたビート・ジェネレーションを代表するひとり。ヒッピー世代の価値観や思想を表現した詩集『吠えるHOWL』や『カディッシュ』で知られる。

わたくしがずっとフリージャズとのコラボを続けてまいりましたのも、この「出来合い」ではない、きちんと整序された「作品」ではない、しかし渾沌の中から一瞬立ち上がる、「本当の」美、……そういうものを、ずっと求めてのことだったのだと、今あらためて実感をいたしております。

この「ビート」、「路上派」といわれることもあります、代表的な人々、引用をいたしました「吠える」のアレン・ギンズバーグを筆頭にして、ジャック・ケルアック、ゲイリー・スナイダー、日本では、この方はビートにとどまらない別格の詩人ですが白石(しらいし)かずこさん、そうして諏訪(すわ)優(ゆう)、中上哲夫(なかがみてつお)、さらに弘前の泉谷明(いずみやあきら)さんの名をあげておきたいと思います。

偶然性とハーモニー

これもアファナシエフさんが、モーツァルトの言葉として言ってくれたのですが、モーツァルトが自分の音楽をもう一回、全部聞き直してみたら、何だ、こいつの音楽、……自分の音楽のことね、……ちゃんと秩序があるじゃないか、ハーモニーがあるじゃないかと。それを、ギリシャ哲学の世界における相反する二つの要素、すなわち「流れゆくもの」、ヘラクレイトス的なるものと、パルメニデス的な「一なるもの」、そういう混沌と秩序との一つのパラドクス的な関係に、……これは、相対する二つの要素の相克の例として、古くからヨーロッパでは用いられている比喩でもありますが、……アファナシエフさんは喩（たと）えて話してくれたのです。

作品というものを成立させるためには、最終的には「一なるもの」、「秩序」、「形」がやはりどうしてもなきゃいけないのですが、でもそれを成立させるためには、まずヘラクレイトス的な歪（ひず）みなり渾沌なり歪（ゆが）みなり曲がりをできる限り導入しておいて、そこで出てくる力動をつかまなければならない。そしておそらくは、この歪（ひず）み、渾沌、歪（ゆが）み、曲がり、というものが、いま申し上げた「濁声」の内実なのですね。わたくしにはろくに才能もないけれど、だから失敗作もあるけれど、始原の渾沌を大切にする、その心だけはつねに大切に持っております。ですので、常に考えているのは、まずヘラクレイトス的なものから始まることは事実だとしても、やっぱりそこにはパルメニデス的なもの、秩序という言い方は必ずしもふさわしくはないのかも知れないのですが、やはり作品の手ざわりの「がっちり感」みたいなものへの道筋が、どうしても必要になってくるのだということです。

ただ、人工的に形式的にまとめようとすると、むしろその触感がなくなっちゃうんですね。それにわたくしの場合は、ある形にはまった、つまり既成の「制度」に乗っかった「枠」の中で作品をつくるのではなく、「自由詩」という、何もないところから、まずその「形」をつくる所から始めなければならなかった。最初から既成の「形」を受け容れればいいのだったら、俳句、短歌、小説でいいんですよ。でもそうじゃなくて、自分でまず「形」もつくりつつ、しかもその中では大工仕事のようなこともやらなければならないし、また何か音楽みたいなものも鳴らさなきゃならないということになると、それはもう容易ならざることになります。

わたくしにはあんまりよくない習癖があって、何かを考えるときに、必ずずらして答えを出していくんです。そのこととこの「形式」という問題は結びついています。形式があったらいかに表現は楽になるか。俳句や短歌や小説みたいに制約があればむしろ簡単なんです、……もっとも、簡単といってしまいますと、いささか語弊がありますが。その「制約」は、別の極限への道なのですね、……これは朔太郎が見事に言ったことですが、わたくしたちは、まさしく未完成を目指している。それが自由詩の夢のような領土である、と。そういう領土に加わることができたことによって、一貫して、「形」にならないところであがいているのですが、そのいっぽうでは、やはり最終的には「形」というか、ハーモニーというか、そういうことがやはり常にどこかで気になっているのです。

わたくしの場合には、さっきのモーツァルトの例で言いましたけれども、渾沌の中から何とかして中身をつくり上げて、それにそれなりの秩序を与えて差し出そうとしている。たとえ歪んだ「形」ではあるとしても、一所懸命それを追求していると、仕上がったものはおのずと何らかのハーモニー、……先程申し上げました「遠心的なハーモニー」……があるものになっているんじゃないのか、という感触はやはりあります。わたくしの場合はもうここらあたりが限界なのかもしれないけれども、そこからさらに踏み外してもっと断片化していくとか、あるいは、あるところでは逆に、違う意味においての物語化がふたたび始まってゆくとか、いろんなことができる可能性があるのではないかと思います。

もっともわたくしにも、まだまだこれの先がありそうな予感はあります。『怪物君』(みすず書房、二〇一六年)のように、原稿用紙に文字を書くことによって美術化というか物質化というか、そういうものになっていくというのも、この、「ジャンル」というものを超えるという意味において、既成のどの「ジャンル」にも収まりきれず、つねにどこかではみ出してしまうという意味において、やはり「歪み」あるいはずれのようなものに従っている、過激化のひとつの例だろうと思うのですが、こういうところまで来ると、もう一つ別のところ、表現の歴史と文化全体の問題にまでかかわってくることになるでしょう。日本の、あるいは東洋の芸術と言っても、芸術全般と言ってもいいけれど、絵画的なるもの、あるいは人が動かす手と言語表現との関係は、近代になって分離してしまいましたけれども、それ以前には、渾沌としながらも、一つの秩序をつくっているような世界があったのだと思います。

やっぱりね、どこかにあるんですよ、ハーモニーっていうのは。それと「歪み」とのギリギリのところが狙われているのだと思います。でも、それでも「詩」が目差されているのですね。

さらに、もう少し別の角度から考えれば、パウル・クレー、カンディンスキー、あるいは印象派、そしてゴッホやアルトーとか、あるいはメカスさんまで含めて、表現が動こうとする、その刹那を捉えようとするとき、文字だけでいいのかというのは、現代美術の最先端であるとともに、わたくしの場合にはお皿に字を書いた乾山(けんざん)とか、宗達(そうたつ)も好きなんですが、ああいうところにも射程としては、これから伸びてゆくのだろうと思っております。恐らくあと五十年、百年したらそういう時代が来るでしょうね。

さらに、少々これは暴論にもなるのでしょうが、異様な巨人でした南方熊楠(みなかたくまぐす)のような本能もまた、この先端に触れているものでもあるのではないかとわたくしは考えているのです。

あるいは利休(りきゅう)がやろうとしたこともおそらくは、それの一つの試みであるような、ある根源的なものの探求だったのでしょう。ですから、単純に利休の美意識に乗っかるのではなく、その探求精神のアティチュードの方角を同じ根源に向けて探求していったら、やっぱりわたくしの求めているようなものとも同じような感覚に達してゆくのではないでしょうか。それは芭蕉さんのよく言う「貫通するものは一なり」、「利休の茶における、雪舟の絵における」という不易流行（ふえきりゅうこう）ということなのかも知れません。もっともその「美意識」の中にはわたくしの場合、すでにもうジミヘンも入っているのですが（笑）。

既成の芸術概念ですと、偶然性とハーモニーとは相反すると捉えられるかもしれません。しかしハーモニーと偶然性という性質の異なる二者が争っている状態から、最後にと言ってはいけないかな、でも、やはりどこかの段階では秩序づける。そのことによって、さらにそこから、もう一段下の、あるいはもう一段上の違うハーモニーがあらわれてくる。未完成かもしれないけど、そういう状態を目指している。もしかしたら直観がそこで出てくる可能性がある。あるいはそれが、「時間」なのかも知れない。図式的に言えば、既成のハーモニーではない、より本質的な本物のハーモニー。要するに、ハーモニーを壊してるわけじゃなくて、「その先の」本当のハーモニーを求めているのだろうと思うのです。

まことに貧しい例で恐縮なんですけど、この六十年間詩を書き続けてきて、決して上手じゃない、六十年間上手になれない詩人というのもなんだかですけどね（笑）、何に苦しんでいるかというと、はじまりなのです。書き始めに苦しむのです。もう、ものすごく苦しむ。書き始めがすっとできちゃって最後に苦しむタイプの人もいるかもしれないけれども、わたくしの場合にはそうなのです。それで、麻薬はやらないけど、酒飲んでもうめちゃくちゃに苦しんで、普通の思考じゃないようなときに、ふっ、と、芽が生えるようにして、何かが立ってくる。そこでようやっと書き始める。そうすると、おそらく書き始めた刹那にはもうすでに見えているそのハーモニーなり秩序みたいなものはあるわけです。

　これもアファナシエフさんがおっしゃっていたことだけど、モーツァルトがそうだったらしいですね。シンフォニーでも、書き始めたときはもう最後まで作品ができちゃってたらしい。くらべるなんて烏滸がましいことですが、わたくしも、書き出したらもう暗中模索はしない。最も極端なケースだと、出だしの、書かなきゃならないけど書けないときは、原稿用紙がもう憎くて憎くてしようがない。ペンも憎いし。それで、どういうことをするかというと、原稿用紙の上に紙をさらに張る。擦る。皺を寄らせる。紙も楽器のようになるのね。そんなしぐさをしてないと、時間がもたない。で、紙というものそのものをもう消していくという作業を間断なくやってしまうわけですが、そんなことをやっているときに、刹那に、ふっと……なにかが出てくる。

あるんですよ。見えてきてるんですよ。そして、ああ来たなと思うから、そこに沿ってリズムとか線引きとか音韻とかイメージとか思考とか情景なんかをたたき込んでいきながら、延々と、これは千行書かなきゃいけないときにどうやったらいいかということを考えている。もう書き始めてしまったときには、既に逆説的にハーモニーの中にいると言ってもいい。最終的には、最初の一行に一週間か二週間めちゃ苦しんでるときというのは、もしかしたらそのハーモニーを発見するために苦しんでいると言えるのかもしれない。

だから「ノイズ」とか「ハーモニー」とかというのは、単に音楽がということとは違う次元の話なのですよ。違う違う(笑)。綺麗に完成したものじゃなくて、それをさらに乗り越えた、次の段階までいったもの。ミケランジェロがそうですよね。あるいは古伊賀(いが)の破れ袋だとか、ああいったある偶然性までをもはらんだもの、そこに別の次元でのハーモニーを見るということです。

「ネガティヴ・ケイパビリティ」

それと、わたくしが詩人に、といいますか、いえもっと広く、芸術家一般にもっとも必要とされると思っているのが、……これを「能力」と単純に呼んでよいものかどうか、逡巡(しゅんじゅん)するのですが、……むしろ「反」能力のようなものかな、……イギリスのロマン派の詩人のキーツが言う「ネガティヴ・ケイパビリティ negative capability」なんですね。「消極的な才能」という意味ですが、と言うよりはむしろ、「待っていて、何か柔らかいものをつかまえる能力」、というようなものとしてわたくしは理解をしております。ツェランもそうですし、メカスさんもそう。わたくしにもあるのかもしれない。普通は能動性のほうが本質的とされてるけれども、そうじゃない。受動性は、芸術や詩的な部分の根源の一つです。日本語にすると、中世の美学で言う、「さび」とか「やつし」とかになるのかも知れないのですが、わたくしが「序」で申しました、「逡巡」と「躊躇」も、やや、これに近い。やっぱり英語の「ネガ」というのは強いですよね。「ネガティヴ・ケイパビリティ」という言葉が喚起するものには、やはり何ものにもかえがたいものがあります。

普通の人は、芸術行為、創造行為というと、ポジティヴなものだと思ってると思うんです。だけども、むしろそれはネガティヴでありパッシヴである。これは亡くなったジョナス・メカスから非常に印象深く聞いたことだけども、メカスの心が通った友達の一番の人は恐らくアンディ・ウォーホルだと思うんです。アンディ・ウォーホルのことをメカスがしゃべってるときに、メカスさん自身もそうだけど、アンディ・ウォーホルというのはいつも隅っこにいて、人が見てないような奇妙なところからじっと一人で孤独で見てるようなやつなんだよと言っていました。むしろ隅っこのほうにいて、世界をこう、人の視線の

ブリューゲル『農民の婚宴』

そばでかすかにたわんだようなところから見ている。その目、これがとても大事なんです。わたくしも自閉症的なところがあるから、それはとてもよくわかる。そこから先に行くとさらに難しいところに入っていっちゃうけれども、ひとまずは、狂気までは行かないけど、どこかで狂気とも近いような、貧しさ、乏しさ、……控え目さと病と衰弱と、そして少しはすっかいから世界を見る目がどうしても必要です。控え目さも狂気につながっていくのですから。

でもこれは傍観とは違っていて、例えば、ブリューゲルの絵では、たくさんの人物が描かれてるけど、端っこのほうに帽子かぶった少女が一人いて、お皿をなめていたりするじゃない。ああいうところをちゃんとブリューゲルは描いている。中心じゃなくて、そういう人たちの大事さによって世界が成り立ってるというところへ向ける目がある。ということは、詩作とか芸術行為というのは、「私」が主役ではないということ。詩の中で自分でも気がつかないことを書いといて、あとでふっと気がつくようなことの中に、そうしたことの連続の中にネガティヴ・ケイパビリティがあるのです。

わたくしは、他者から用意されたものといいますか、他者との偶然というか、何か、コピー、写しのようなものでしょうか、そんなものを活かしているところがあるのですね。積極的に自分の筋道を立ててやるのではなくて、常に偶然の機会みたいなものによって生きようとしていて、その諸力の本体が見えたときは、そっちにもう一目散に突っ走っていく。だから基本はやっぱり受け身から始まっているのです。

ネガティヴ・ケイパビリティはとても大事なことで、マイナスの力を常に待っている。そうすると、それがほんの少し赤らんできてプラスになるとき、それが道元がいうように、当観(まさにみるべし)となるのです。

gozoCinéも、自分から映像に興味を積極的に持って始めたというわけではなかった。テレビに出演する機会が増えたところから、それに刺激を受けて、「だったらもう自分で撮っちゃえ」、となっちゃった(笑)。そういうところでも間断なくネガティヴに利用されてるんですね。やっぱり最後にはネガティヴ・ケイパビリティに行き着きます。別のいい方をしたら「他力（たりき）」なのです。この言葉があらわれることに心が沿っていって、その心がその言葉に寄り添いながら、何か生まれてくるのを見詰めながら手を動かしているということです。

詩を書くのでも、例えば一九六六年だったかな、『中央大學新聞』から二千円あげるから「先生、毎週一回、四回ぐらい詩を書いてください」と注文があったんです。二十行を何日までにという締め切りがあって。で、学生新聞だからいいかげんに書いてやろうと。二日酔いの朝、喫茶店か何かで、あっという間に書けちゃった。それが「燃える」だとか「朝狂って」だとかっていう、みなさんのおっしゃる「初期代表作」ってやつで、それがそんな適当にできちゃった。でも適当にというのも七転八倒苦しむというのもほとんど同じなんですよ。何かこう、メビウスの輪みたいなね。あるいは「梨くう口付き」みたいに、「機縁」が生じてね、はっとかみついたようなときのほうが出来がよかったり。何でなのかな。全然ノーカウントで書くせいかな。そういう外からの何らかの契機があるほうが、逆に一気に幻視が立ち上がるのですね。

やっぱり、わたくしに「主体性」はないですね（笑）。

第六章　「バッハ、遊星、0（ゼロ）のこと」など

　さてここからは、もう少し具体的に、いわゆる「詩作」についてお話ししてゆきましょう。ちょっと恥ずかしいですが、やはり自分の作品に即したかたちになると思いますけれど、その中から何か詩の「本体」のようなものがほんのわずかにでも浮かび上がって来てくれるように、願いつつなのですが。

「バッハ、遊星、0（ゼロ）のこと」

　このテーマで本にしようということで作業を始めていちばん最初のときに、林浩平さんから、次のご質問を受けました。

　吉増さんのなかで、どんなふうにして詩が生まれてくるのか、詩の発生のメカニズムと言っていいかもしれません、それについてお尋ねしたいことがあります。第二詩集の『黄金詩篇』に収める詩篇「独立」のなかに「バッハ、遊星、0（ゼロ）のこと」という一行が出てきます。このフレーズは三回繰り返されますけれども、大学の授業でこの

詩を採りあげて、最初に一回朗読をして紹介します。すると、「このフレーズ、もう覚えちゃった」、「一回聞いたら忘れられない」、そういう反応を受講生らがするのです。現代詩によく馴染んでいない学生たちであっても。

独立

ただ生きているだけで
生涯一つの言葉にも出会いはしない
その確証がある！
人間、狂うために生れてきたもの
天の星を箒（ほうき）ではくために
今朝も
ぼくは
荘子、逍遥遊篇を投げすてる
そして激しく机上を乱打する
両手をあげて部屋のなかを歩きまわる

一隻の船のように
だれもがそれぞれの作法で
世界を消す
権利を認める
その確証がある
今朝も
ぼくは
茫然と韻をふむ
バッハ、遊星、0（ゼロ）のこと
　バッハ、遊星、0（ゼロ）のこと
両手をあげて部屋のなかを歩きまわる
ぼくはここで死んでゆくのか
一人でワルツを踊るようにして
そしてまた
机上を激しく乱打して
また韻をふむ

くりかえせ、くりかえせ、くりかえせ
バッハ、遊星、0（ゼロ）のこと
物語狂め！
ぼくは素足で韻をふむ
水面上で韻をふむ、虹の根元で音をたたく
両手をあげて部屋のなかを歩きまわる
……………
数時間すると
二、三人、死人（しびと）たちが出てきて踊りだす

さあ、たいへんだ、……（笑）。これまで考えたことのなかった「どんなふうにして詩が生まれてくるのか」を、あらためて考えてみるということになるとはね。いや、そうして出してくださった一行には、こちらも吃驚（びっくり）してしまいました。そう、「虚を衝かれる」というのに近いですね。これは、……と、じつは一ヵ月近くも考えてしまったのですよ（笑）。「詩の発生のメカニズム」というのは、おそらくきっと、遡（さかのぼ）ることのとてもとても困難なことなのですね。作者にとっても、……というよりも、作者には、忘れられてしま

っている核心らしきもの、「直観」を探り直すという、とても困難な、というか、ほとんど不可能なことになるのです。そうね、忘れてしまうというのは、じつに不思議なことなのね。

やってはみますが、でも「分析」はきっと出来ないでしょうね。そうでなければ、詩など書く心持ちにはならないのですからね。そして「記憶」にではなくて、「赤子のような存在」に、そっと尋ねるようにしてみましたら、〝おまえ、天の星を箒(ほうき)ではく〟っていってるぞ、〝ここが、朧ろな直観の出所(でどころ)だぞ〟という小声がしていました。それに、引用していただきました、最後の行の「死人(しびと)」が、次の詩の予告というのか、予兆だったのだということにも、ここで気がついていました。いまあらためて「バッハ、遊星、0(ゼロ)のこと」について問われて、考えてみると、先ず「0(ゼロ)のこと」というイメージというよりも、ヴィジョンの姿形(すがたかたち)が、思い浮かんだのでしょうね。それにつれて「0(ゼロ)」から裸体の遊星が、そこに上乗せしてね、「惑星」では決してなくって、「遊星」でした。そして、……「バッハ」が音楽の象徴(しるし)のようにして、頭のところに付いたようですね。あと、「0(ゼロ)」と「バ」の濁音が、橋上の両端のように一行を包んだらしい。あてにはなりませんよ。ただね、もうひとつはっきりとこの心性にあるものをいっておきますと、この「0(ゼロ)」が真円ではなくて、どうやら楕円なのですね。必ず歪もう、歪もうとしているらしいことですね。それが

縄文のストーンサークル（大湯環状列石）

あらわれている。日本にも巨石文化があって縄文のストーンサークルがそうですが、それが真円ではなくて、引っ張られた波のような円＝瓊（えん）だったことに、古代人の心性をみて、驚嘆をしたことがありました。

それにね、これは激しい詩篇ですね。この「激しさ」も、「歪み」に発しているのかも知れません。「渇（かわ）き」といってもよいものなのかも知れませんしね。そしてこれが、特異とも、あるいは、いささか特殊ともいえますが、無意識に目差されていますのは、それははっきりとしていることですが、「いい尽くそう、……」としている。「消尽する、……」というのか、「燃え尽きるまで、……」、その「限界状態」が、心に絵のようにしてある、ということなのです。そうして、その一方では「遊星」の「遊」は、何処からか、「遊ぼうよ」といっている太古からの小声をそっと聞いてもいるようです。

いかがでしょう。これである程度の発生状態のご説明にはなったのではないでしょうか。

あと、えっ、……と思うようにして気がついたことを申し上げます。この詩「独立」の初出の「婦人公論」での挿画は、赤瀬川原平(あかせがわげんぺい)さんだったのです。赤瀬川さんの才能には際立ったものがあって、あのとき彼の心の脇にはつげ義春(よしはる)さんの存在もあった筈なのです。「戯画」とも「マンガ」ともいわずに、そこに接していた時代の空気をこの詩行は一瞬にして示していたともいえるのですね。

しかし、「自作を分析すること」が、こんなにも不自由なこととは、正直驚いていました。何なのでしょうね。うまくいい当てられないのですが、敢えていいますと「創造の恥ずかしさ」なのでしょうか、そんな気がしています。不思議ですね。

七五の問題

それから、いいですか?「ばっは、ゆうせい、ぜろのこと」って、指を折ってみてはじめてわかりますが、これ、七五なんだよね(笑)。あらゆるところに、もちろん目立たないようにするんだけれども、変なところで、七五が常になんか変身して化けて出てくる。こんなのわからないですよ、七五になってるなんていうのは、わたくしにだってわかんないもん（笑）。

古色蒼然といういい方があるじゃないですか？　その状態がねらわれている、……それを隠すために下底に「0（ゼロ）のこと」という下支（したざさ）えというのか、見えない土台が垣間見られてるのね。しかしね、……絶対に「隠す」という心が働いているのだろうな、……激しい速度で隠している、そのあらわれた刹那は、もう当人にも判らない。「暗喩」ということにもこれは通じているのだろうけれども、わたくしの場合には、おそらく古い「七五」をなんとか隠そうとしたのですね。

そういうものが咄嗟に働いて、おそらく刹那に出来あがっているんでしょうね。それに加えて、わらべ唄的なるものが常に動いていたのかもしれない。「老詩人」って詩に、「蛇籠に河童、猫じゃらし」というのがありますが、これなどは完全にそう。数え唄みたいでしょう？　「蛇籠に河童、猫じゃらし」、「木蓮、ぎしぎし、泰山木」、「バッハ、遊星、0（ゼロ）のこと」。

わたくしははっきり自分では言わないけれども、言語感覚のなかにやっぱり七五が動いているのかな。言語の国境も、表現のジャンル垣根をも、さらには「詩（ポエジー）」さえをも打ち破ろうとして来たのだと思いますが、それでも、まだ「韻を踏む」ことからは、離れようとしていないのですね。

それでね、こんなにも鋭くて、深い指摘が出来るのかと感心もし、びっくりしたことがあったのはね、文芸評論家の磯田光一さんでした。あの人、東京大学の大学院でのご専門がイギリス文学のロマン派だったのですね。それで七〇年代後半に『イギリス・ロマン派詩人』というイギリスのロマン派についての学問的な本を出したんです。その「あとがき」にね、「日本人の感性が七・五韻律と不可分のものであることを私は痛感している し、戦後詩でもたとえば吉増剛造氏などは、七・五韻律を新しい感性で蘇生させたものにみえる」。

見破られた(笑)。七五の韻律、さらにもっと古いもの、常にそれが、その地獄の釜が常に開いたり閉じたりするようにして、その地獄の蒸気みたいにして、その韻律は襲ってきています。

それからね、わたくしが学生のころ、『万葉集』を読んでいたときに、先程もいいましたが、特に人麻呂の長歌に非常に感心したんですよね。人麻呂の長歌の持っている強い韻律に。七五よりももっと根底的なその律動ね。斎藤茂吉は「一大連続声調」なんていう言い方をするんだけど。さらに、それを長歌って言っちゃうと、「この間滅びたばっかりの長歌なんかが出てきやがって」なんていう議論になっちゃう。だから長歌とは言わない、「一大連続声調」とも言わない、律動とも言わない、……むしろ、未聞（みもん）の呼吸、あるいは未開の歌ともいいたい気持がありました。これは、日本の歌の根源ばっかりじゃなくって、朝鮮半島ともつながっているし大陸とも沖縄ともつながっている、そういう種類の律動があるんですよ。折口信夫なんかが感じているような歌の根みたいなものに、わたくしもどこかでつながっている。あからさまにこう七五っていう定型には絶対にいかないようなものね。

わたくしの「頭脳の塔」という詩では「朝霧たちこめ／狭霧たつ」、これも七五ですよね。それから「花火の家の入口で」では、「薄いヴェールの丘にたち、静かに〝病い〟を待っている」。これも七五の繰り返しですね。それでも決して短歌には行かないのですけれども。

通念的な詩的言語の破壊へ

そして文法をあえて外す、というか、文法を破っちゃう、例えば「花火の家の入口で」の、……あッ、このタイトルも七五でした。文法を外していますのは、「神を池の下に手紙をとどけに行った」「（わたしは鱶に目を手に挟んで眺めていたことがあった。……）」などですね。このあたり、助詞の使い方があきらかな逸脱というか、文法違反なんですよ。

その詩集『花火の家の入口で』が一九九五年でした。このあたりの詩集で、これはもうはっきりと大きな書き方の変化が見られます。一つは、割注ですよね。割注を大胆に使い出す。それからハングルとかイタリア語とかいろんな言葉が詩のなかに入ってきて、異国語の混在現象が明確に出ています。それからあとは万葉仮名風の表記、「粒焼〔つぶやく〕」ですね。漢字を使っての独特の表記法。

それからあとは、固有名詞、人名・地名がどんどん出てきます。そういうふうにして、いわゆる通念としての、上質の詩的言語というものをあえて崩してゆく。

というのは、いろいろな実験的な試みのそれまでの積み重ねを経て、もうこのへんの時期になると、通常の言葉の「制度」のいいなりになるんじゃなくって、そこから外れていったとしても詩は成り立つんじゃないかという確信というか、信頼のようなものが芽生えたんですね。あるいはちょっと、文法というものが窮屈な感じになっちゃった。で、またいつもの悪い癖で、そこからも逸れちゃえとなっちゃった。ただ、そうやってあえて逸脱してみると、あたらしい光景が見えてきたのです。それでもう、すっかり味を占めてしまって。

でもね、割注のほうは、始まったのはいま言ったような高尚な理由からじゃなかったのですね。「未来」という未來社の雑誌の扉に小さな文章を三回書いたとき、……それ、浜田優氏とね、……時間制限とともに枚数制限があるでしょう？　言葉が溢れちゃったときにその制限がある場合、どうしたらいいか、と考えて。で、割注をぎっしりやることによって、ひとまず枚数は突破した。でもそれで味を占めて他でもそればっかりやってたら、みんな読めなくなって、編集者も読者もどんどん逃げていっちゃった（笑）。

でも割注って、オフボイスのオフボイスだから、けっこう心の中の声、……「ほんとうの声」、あえてそう言ってみましょうか、……が出るんですよ。今もこうしてしゃべりながらわかってきますけれども、音声録音のときにもね、その割注的な声が出ているという感じがしています。

「筆蝕」を超える筆蝕

「書く」という物理的な行為について申し上げますと、最初はもちろん四〇〇字の原稿用紙の桝目に文字を書き込んで行っていたのですが、やがてそれだけでは飽き足らなくなって、紙をたたいたり、引っ張ったり、あげくには書いたものにインクを垂らしたりするように「書く」から「描く」、「切る」、「刻む」へと行為がだんだんと発展をしていきました。

そもそもわたくしは、普通に「書く」場合でも、書き始めるまでにもぜんぜんじっとしてなくて、ずっと手は動かしているんです。子供のときみたいにね、鉛筆削ったりとかして、手は常にもじゃもじゃもじゃもじゃしている。おそらくこれが音楽にも通じているのね、この「もじゃもじゃ」のやり方をいろんなふうに工夫したら、それで韻がつかめてね、書けていく可能性もあるんだな。だから、自分の中のそういう書くという「動物」をどうやって発見していくか、根本的な問題はそれではないかというような気もしています。「手」って怪物的なのよね。

そして「描く」場合には目もつぶっています。言葉を書いているという意識はない。線を引くという意識も、それどころか、もはやドローイングという意識もない。石川九楊(いしかわきゅうよう)さんのいう「筆蝕」にもとどまろうとしていない。その筆蝕にさえ問いかけようとしている。

それで目をあけて見ると、ある模様のようなもの、象形文字とも絶対に言えないような何か。図柄とも何とも言えない、そういうものの驚きが出てきますね。これは瀧口修造さんもやってないな。全く技法以前のことだから。いわゆるオートマティスムとは全然違うのですよ。むしろクレーとかエルンスト、あるいはルドンにも見せたいような、そういう世界。ちょっと自分でもびっくりするような。

著者の「作品」の一例「火ノ刺繡」(2017 年)

見ないと逆に、頭の中に思考が浮かんでくるんです。見ていたら、浮かんでこないかもしれない。言語の純度が上がる、というのかな。また同時に言語の純度が下へ垂れていくという感じ。上がるという感じじゃないね。深まる。落ちていく。滴るという感じね。そうすると、ベケットのキーワード、「ウーズ（Ooze）」、水がしみこむというのがベケットの鍵語の一つなんだけど、ずるずると漏れてゆく、そういう感じに近い。何かどろどろと渦が漏れてきやがったという感じがある。不死の言語よりもさらに深いような、言語の赤ん坊みたいなところ、そこへ少し接近してきたな。ポエジーという概念さえ、危ないなという感じがあるんですよ。

わたくしの場合は、芸術という行為はどうやら「深く潜る」とか「深く掘る」というのとは違うようです。むしろ小さな穴を掘っていったり、ちょっと動かしていったり、それがほんのちょっと動いたとき、それを「根源」と言ったり、「深さ」と言ったり、「白い雲の煙のような」と言ったり、「一瞬の唖性のようなもの」と言ったりもしているのです。もう本当に小さなものの中に、虚と宇宙大のものを見る。観念とも言えない。それが、世界の手触り。

接触して穴をあける、世界をノックする、それがわたくしの書くことの原点。でもそれはそんな大仰な行為じゃなくて、本当にちょっとしたインクのシミみたいなものでじゅうぶんなんですよ。ポコンって、本当に小さい詩を書いていけば、そこにもう世界がたちあがってくる。そう、小さな水溜まり。漏れ。それを称して、極端に、ほんの小ささによって「根源的な深さ」だとか「大きさ」っていうふうに言っていく。

「ごろごろ」を書いたときも引用をしましたが、ウィトゲンシュタインに「主体は世界に属さない、それは世界の限界である」という言葉がありますね。すなわち、世界ってこうわたくしに面壁（めんぺき）しているのですね。その世界と接触するためにどうしたらいいか、わたくしは点を打つのです。絵を描くんじゃなくて、点を打つ、それが同時に「書く」ことでもある。ということは、もしかすると音楽に近づいてきている可能性もあるような気が、このところだんだんといたしてきております。

「声に出す」っていうことも、そことつながっているんだな。世界の限界、限界の壁にさわりながら歩いていって、トントントントン、……なんかこう合図を送って、手が、叩いている。手っていったって、この自分の手じゃなくて、幻の手かも知れないのよね。それが書くってことなのよね。それは、小さな世界。一枚の紙。下手すると一枚の紙でもその本当に隅っこだけの世界。マラルメじゃないけど、白い紙の右端のほんの隅っこみたいなところ、そこへ点を打つ。ちっちゃい字で写すのもそう。小さい点。限りなく点に近づこうとしている。しかもほんの僅かに、少しだけ横にずれてみるとそこがみたことも感じた

銅板（「妖精」）

ともない「他界」であることにも気がつく。別の光が差すのですね。

それは、石川九楊さんの言う「筆蝕」より、もう少し根源的なものなんですよ。石川九楊さんとは割合、最初期から間断なくつき合ってきて、相当な数の対話もやってるし、お互いにまだ交流が続いてるから、一種の戦友のような感じが続いています。ただ、わたくしの場合、書くということが、常にたたく、へこませる、穴をあける、あるいは啄木の「啄」の字、つつく。鳥がついばんだり、あるいは言葉をたたいたり、音を立てたり。そういうところにまで伸びていく。人間だけに限らずに、動物にまで伸びていく要素がある。

筆記具と同時にとても大事にして年がら年中持ち歩いてる小道具の一つが、若林奮（わかばやしいさむ）がわたくしにくれた鏨（たがね）なんですね。単純なねじ・くぎを若林がグラインダーで磨いただけのもので、いわゆる立派な鏨じゃないいんですよ。この鏨で穴をあけるという行為がもう三十

詩人の「七つ道具」(右上より時計回りに、サヌカイト、ハンマー、鑿、イクパスイ、アイマスク)

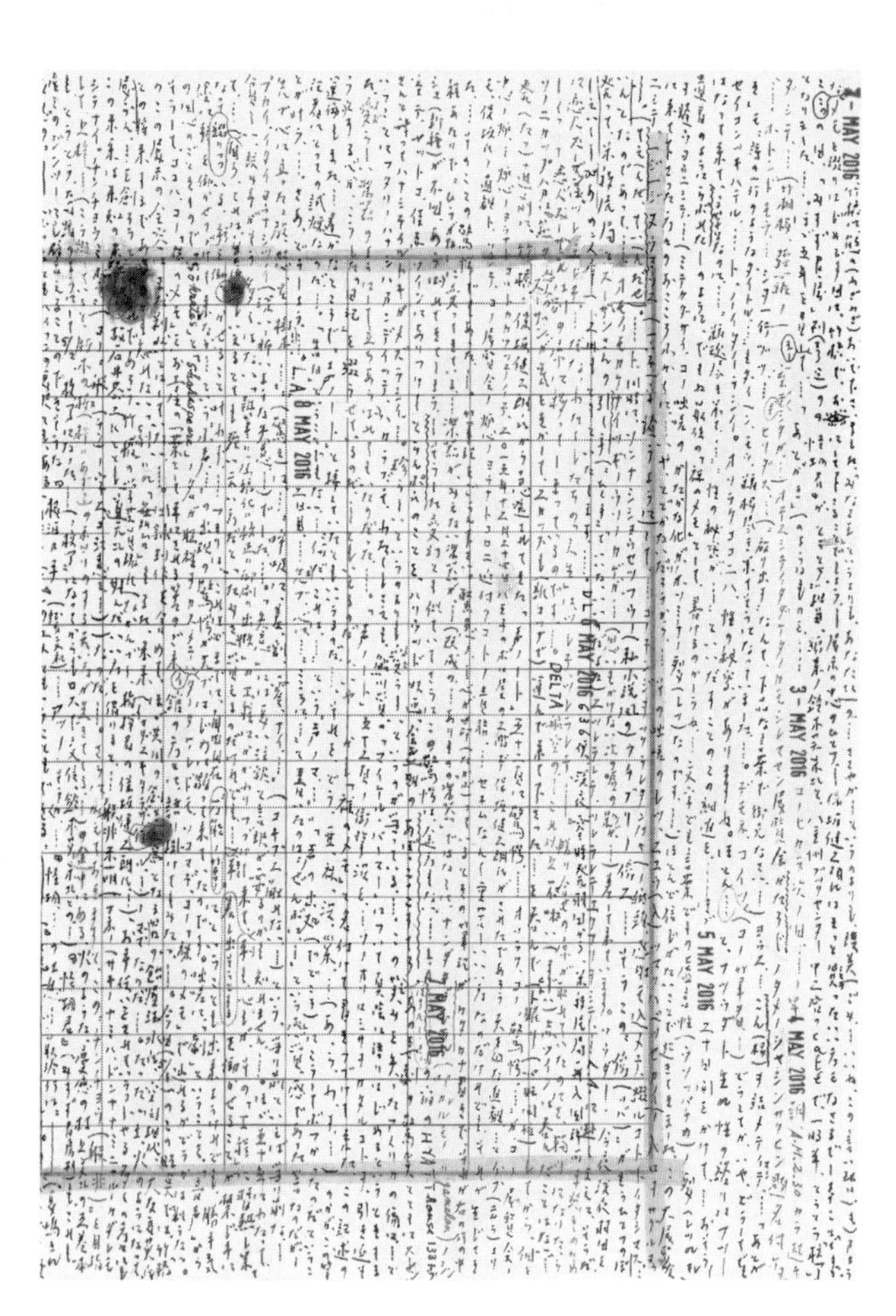

MAY 2016
3 MAY 2016
4 MAY 2016
5 MAY 2016
6 MAY 2016
DELTA
7 MAY 2016
L.A. 8 MAY 2016

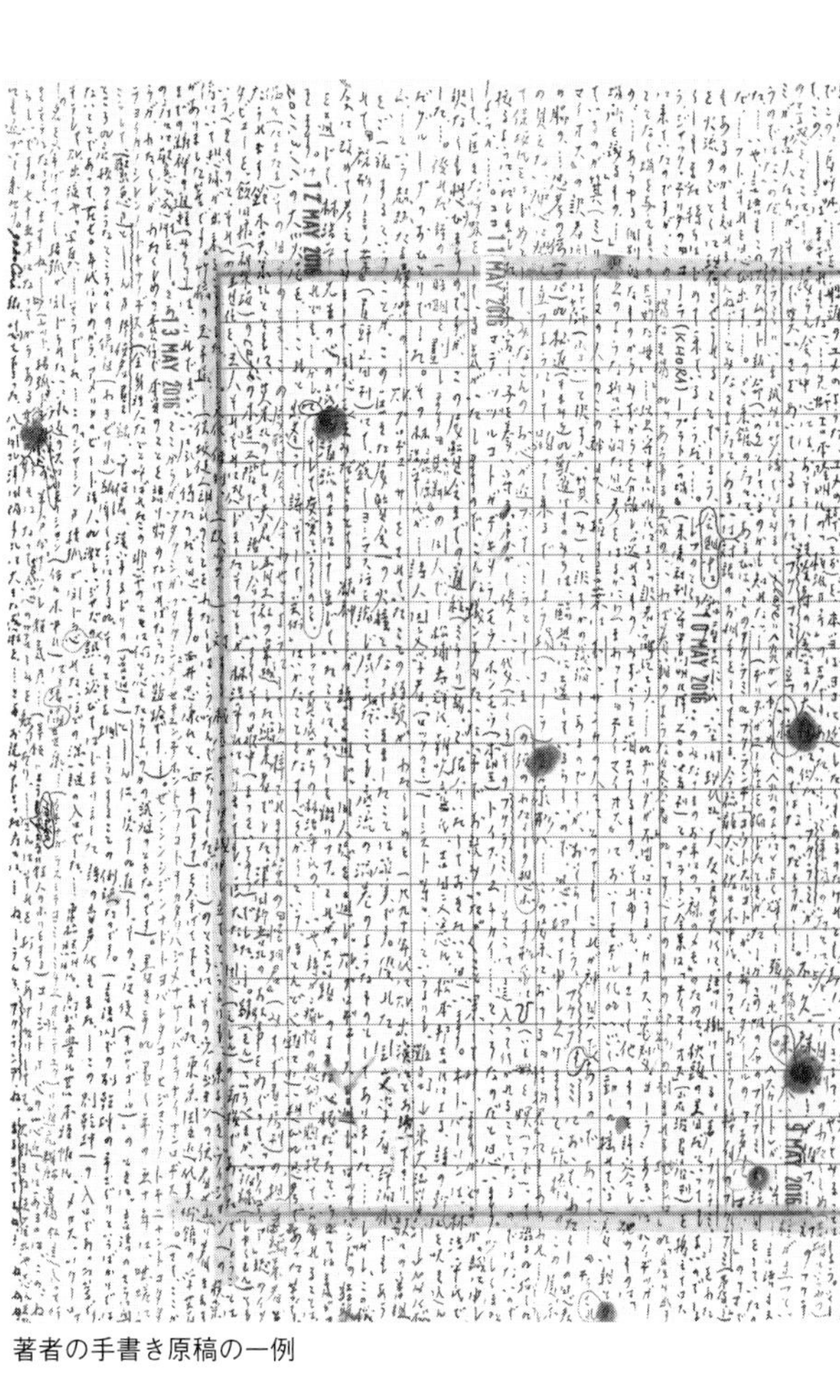

著者の手書き原稿の一例

年、四十年も続いている。印象的な言葉なので覚えてるんだけど、「吉増さん、慎重にこうやって痕跡を残して点を打ったりなんかしててもいいけども、突き抜けちゃったっていいんだよ」と、ちらっと若林が言ったことがあるの。「さすがだな。ちょっと天才的なところがあるな」と思ってね。突き抜けちゃっていいと。力を入れる「度合い」が違ってくるんだ。そういうことが、筆記の中の向こう側の世界。向こう側の世界がそうやって立ちあらわれてくる。それを「狂気」といったりしたら、また、小林秀雄に戻っちゃうのね。

そうなるともう、エルンストのフロッタージュの世界も超えちゃうし、ルーチョ・フォンタナの引き裂くようなところは少し追随するところはあるけれども、間断なく穴をあけていく、蝕をつくっていくということは、石川さんには言っても通じない。「筆蝕」といっても、わたくしの場合にはそこから間断なく思考の筋が分岐していって、それをどこかで実現しようと図っているらしいんですね。

わたくしが考えている「筆蝕」というのは、そこまで射程が伸びている、そこまで意識化しているということは言えると思います。さらにわたくしの想像力と観念の拡大で補足するんですけれども。わたくしは没後の門人という言い方をしますけれども、吉本隆明さんは、例えば親鸞（しんらん）の『歎異抄（たんにしょう）』や『教行信証（きょうぎょうしんしょう）』を読み込んでいくときに、「紙面の文字の裏側から聞こえる吐息」、みたいな言い方をするのよね。紙背（しはい）に徹して見るなんていう慣用句の言い方ではなくて、何とも微妙な、書くことの向こう側から来るような空気のことを名づけて、ページの裏側から何となく差してくるぼんやりとした光を感ずることによって、例えば親鸞の本音を聞くという言い方をする。

吉本さんは二十六から二十七歳のときに一年半ぐらいにわたって、五百篇にわたる『日時計篇』というのを書いてたわけ。毎日毎日、書いてるわけよ。そのときの経験からだろうと思うけれども、手作業を続けていくと、「根源乃手」とでも言うべきものが「物にさわる」ということが起きてくる、頭で考えるよりも、気がつくと手のほうが先に書いてる。紙の裏側から何かが物を言い始めるなんていうのは、そういう、「根源乃手」の経験があって初めて出てくる言葉なんだろうと思います。本当に根源的なところから考え直そうとする姿勢ですね。

わたくしの場合にも、考える前に手が書いてるという感じはたびたびある。それというふうにはっきりと気がつくことはないけれど。例えば変な音に変わってみたり、何か違うものに変わった瞬間に、書くということはこういう異次元を引っ張り出すんだなというのがわかる刹那はあります。そんなに回数は多くないけど、頭が選択するんじゃなくて、もう手が書いちゃってる。あるいは口が、咽喉の手が、……でしょうね、が書いちゃってる。

パウル・クレーからははるかに時代が下った人ですけれども、サイ・トゥオンブリーを読んでいたらとてもおもしろくてね。線を描いていくときに、到達しない方角に向かって手を動かしていくと言うんです。未達成感のほうに向かってね。すなわち、自然に動いてしまう手の動きに、その刹那刹那に抑制をかける。もっとも単純にその動きを否定するんじゃなくて、脇道の、未知の未達成とか未接触みたいなところへ向かって手を伸ばしていくというか、表現の痕跡を伸ばしていくという言い方をするのですね。自動筆記ではない、でも論理でもないらしい、と言ってたんなるイメージでもない、何か未知のほうへ手を伸ばそうとするような、そういう「筆蝕」の間断なき動きに従ってゆく、ついて行く。シュルレアリスムのオートマティスムとはちがう。あれはやっぱりどこか頭でつくっていますから。

日常のなかの「詩」

こうしてね、未分化の先端を少しずつ体験できるようになってきたような感じがするのね。書いている現場の痕跡が、どういう状況でどう変化していくか。意味的、音韻的なものがどう変化していくかを少しずつ可視化できるようになってきていました。可視化できるようになってきて、それを仮に映像作品にしてみようとしていて、さらに、そこから、いわゆる詩というようなものが出てきているのね。

それでおもしろいのは、夏だとだいたい四時四十分ぐらいには日が明るくなってくる。そうすると自然に覚めて、七時ぐらいまで二、三時間、やるんですけど、まず前日の日記を克明に書くんです。それから、エクリチュールの先端を可視化して、第三の目で言語化していくでしょう。そういうことが毎日、違うの。絶対に反復はしない。これは驚くべきことです。

最近わたくしは、細かい日常的な記述を、詩作のプロセスとしてきたんだなと思うようになりました。必ずしもテーマがあって、何かを提出しようとして書くもんじゃない。それこそ、書くことがないときに、「俺は詩を書く、第一行目を書く、彫刻刀が朝狂って立ち上がる」。そういうふうにして、現場の、瞬間の現在が立ち上がってくる、西田哲学でいうと「純粋経験」みたいなものを立ち上げていく。それが時間になり、経験になり、その瞬間の何か穴みたいなものとつながっている。そういう書き方をする。ものすごく細かい、どうでもいいような、ごみみたいなところに謎があるというのを本能的に知ってるのね。観念や頭から行くんじゃなくて、その辺のごみから行く。最初からそう。それは書くことが何もないということとも結びついています。

第七章　根源的なハーモニーへ

さて、いよいよ「本題」に接近してまいりました、……いやむしろ、読者のみなさまにおかれましては、「迷い路」に入ってしまった、むしろそうお感じでしょうか、……ともかく、さらに一歩を進めまして、いよいよわたくしの考えます、「詩とは何か」の核心へと迫って参りたく存じます。

「書きたいものがない＝『表現』ではない」

吉本隆明さんは、「詩は　書くことがいっぱいあるから／書くんじゃない／書くこと感じること／なんにもないからこそ書くんだ」とおっしゃっていましたが（「『さよなら』の椅子」）、わたくしも、これには全く同感をいたします。「外」というのはおそらくはそういうことなのですよ。何にも書くことはないんです。〝何も書くことはない、……〟といいましたけれども、大事なところですのでさらに細かく考えてみます。

波長や波動が捉えられない状態で、沈思と沈黙のなかで捉えられそうな状態が来るのを待っているのですが、いつ来るのか判らない。そこが「科学」とも「禅」の〝坐ること〟

とも違うのだと思いますが、「外」が聞こえて来ることは、もしかしたら一生来ないのかも知れないという絶望感とともにその〝何も書くことはない、……〟はあるのですが、……、一つ例を挙げさせてください。それは、本書のなかで起こったことといってもよいのでしょう、序文（一四頁）の最終校正の途上で「イの樹木の君が立って来ていた」という一行が立って来ていたことをお話しいたしましたが、それは、おそらく、三十年前に石狩河口に長い間坐り込んでやっと書き上げました「石狩シーツ」への木霊のようなものでもあったのです。あるいは「石巻」の*i*の小声であったのかも知れなかった。さらにわたくしたちの言語への隠れた、……〝*i*〟や〝*h*〟や〝*u*〟といった未知の言語の、……あえて妖精たちのといいます、言語の波動の顕現でもあったのです。これを〝待つこと〟は容易なことではありませんです。「何も書くことはない」ということは、そうした、絶望的な可能性、……変ないい方ですが、を孕んでいるのだと思われるのです。

　そんなふうにして、何かが動き出すまで待っていなければいけないわけです。もう十日間でも。それどころか二十年でも三十年でも。いえ、書きたいという心はあるんですよ。一所懸命書いて、終わってから振り返ってみたら、いやあ、何も書くことがないから書いたんだよな、というのは、感じというのかな「無」から何かをつくり出していかなきゃいけなかったらしいときには実感することになります。

つまり「書きたいものがない」というのは、部分的にはね、描写をしたいものがないということでもあるのです。

「内なる表現意欲」というようなものは基本的にはわたくしの場合にはなくて、外側からの締め切りみたいなものがないと、作品への道というものは、きっと歩み出していなかったのだろうと思います。自分の中には何も表現するものはない。しかし、それでも何かを表出しなければならない。となると、無意識でもいいし、感情の奥底でもいいし、ともかく自分の内部にあるものの中から何かを必死になって摑みだしてこなきゃならない。でも摑んでも摑んでも、それが表現にならないというか、自己表出みたいなものにはなかなかなっていってくれない。で、ものすごく苦しんで苦しんで苦しみ抜いていたときに、ボードレールの「霊の部屋」みたいにね、その痛苦の果てみたいなところに、時折ぽっと、小さい、どういうところで出てくるのかはわからないんだけど、何か「穴」みたいなもの、その「穴」の傍らから漏れ出て来る声みたいなものが出てくるのね。〝ちがうぞ！〟というふうに聞こえて来るのね。それはある意味ではしぐさの何か片割れみたいなものでもあるかもしれないし、ぽうっと鳴いた犬の声でもあるかもしれないし、それがわからないんだけど、そのときに何か見えないものがふっと手をたたくような感じがして、そう、さっきのカフカの「板一枚」があらわれた気がして、表出が成り立ち始める。

「穴」と言ったのはそういう意味です。虚の一点みたいなもの。それが一旦開いたら、そこから風がどっと流れ込んでくる。

これで、最初にどうしても言うことができないことになりそうだった、内的表現がなくてなぜ書くかということの証明にはなったでしょうか。ただ、証明にはなったとしても、自分自身で言ってみながら、外的な強制がないところでは、こいつは何も一応表現というか表出というかそういうことはしない、あるいはできないタイプのやつだったというふうに自分のことを言い切るのには、やはり多少躊躇（ちゅうちょ）があります。まだそこまで言い切れないと思う。でもしかし、何かになりたい、例えば歌うたいになりたいとか、何かをする人になりたいとか、そういう何かになりたいという夢は持ったことがない。

ただね、たとえば、なぜ同人雑誌に入りたいと思ったか、その辺は、たしかにまだ自分でも解剖していない。大学に入って初めて書いた詩は、クラス雑誌に仕方なく書いたような詩だったのですが、それがものすごくよくできたのです。そういう外部からの強制があると、その程度のレベルだけどぱっと書けちゃう。何か契機、あるいは「縁があれば」と言ってもいいのかも知れません。それだったのかな、……。

だいたい、最初に詩を書いたのも、小学校の国語の授業のときに「詩を書きなさい」と言われたからだったのですね。で、書いたら、あら、書けちゃった。そのとき、「ああこの子、こういう才能があるんだな」、そう、自分で自分のことを思っていた。比喩がとても上手な子だったのです。最初から、ああ、こんなの簡単だという感じがあった、「あ、俺、できちゃうな」という。

でも自分から「表現者」とか、「詩人」とか、そういった者になろうと思ったことはなかった。同人雑誌もわたくしが音頭を取ってつくったんじゃなくて、岡田（隆彦）たちがつくったのをみて入れてもらったんであって、わたくしが自発的に始めたのではなかった。そう言う意味ではここにもネガティヴ・ケイパビリティが、やはり働いていたようです。それももう、いちばん最初の小学校の国語のときから。やっぱり受け身だったのです。

ただ「何を書くか」ということとはまったく別の次元でわたくしは、まだ知恵も何にもないようなころから便所の壁にひとりぼっちになってしきりに9、9、9と数字をばっかり書いているような子供だったのです。今考えれば、それがわたくしがずっとこだわっている「筆蝕」の始まりだったのかもしれません。孤独で自閉症だから年がら年中文字ばっかり書いていたのです。だから今もわたくしは日記を書く、手紙を書く。そっちのほうが実は別の価値判断からすると大事で、その状態にこの歳になってちょっと戻って来ているのかも知れません。

これは狂気とも接触していることで、わたくし自身も自覚しているのですが、必ずしも完全に狂気ということではないとしても狂気とすれすれの線なのです。わたくしは若いころに少しだけ釜ヶ崎で暮らしたことがありましたが、そのときに本当に感嘆したのが、あそこ、相当に狂った人がいたから、中には路上に座り込んで、蠟石で一日中、何か書いてるやつがいるんですよ。わたくしもこれにはたしかに似ているけれど、わたくしではここまではやれねえ、すげえな、と思ったことをありありと覚えております。そういうものを書くのの極限だと思ってるようなところが、ずっと前からあったのです。だから、いわゆる詩人や小説家になりたいというようなタイプとは全然違ったんですよ。

「読者はどうでもよくなった」？

これはもう確信犯として申し上げますけれども、出版事業とか文化産業というのは、読者を想定して成り立っている産業ですよね。特に新聞がそうですよね、読者ということが金科玉条みたいに言われるわけです。

どなたもそうなのだと思うのですが、書いてるときに自分の中の読者性というものに邪魔をされるということを、もう年がら年中痛感しているのですね。しかし自分が読者であることを忘れることが創作なのです。ですから読者なんていうものはもうどうでもいいというのも割合正論ではないかと思うのです。はっきり言いすぎて問題化したこともありましたけれども、いわゆるジャーナリスティックな意味においての読者というものはもはや間断なく「敵」として現れてくる、そう言い切っていいと思います。

しかしこのだめな詩人はどうしてこんなにも、読者がいなくても構わないようなところに行っちゃうんでしょうねえ（笑）。

括弧つきの「読者」というのはいわば一つの制度というか決まりみたいなことにすぎません。そこを外さないと「本当」には、やはり辿り着けないのです。

言語を枯らす

もう一つ、『我が詩的自伝』では「言語を枯らす」ということを言いました。言葉を豊穣にするんじゃないんです、逆なんです。むしろ逆に、意味的、想像的、文学的、そういった次元において言語を少し弱くして萎えさせて、そんなときにふっと立ち上がってくる、こっそり立ち上がってくる幽霊のようなもの。論理学的な言い方をすると、「否定」。否定した瞬間に違う種類の肯定が立ち上がってくる。そのすきを狙って何かが出てくるのを待ってるような詩を書くようになったのです。

古文書に「見せ消ち（みせけち）」という、消したところを消したことがわかるようにしておくとい

二重露光写真（“鯨、疲れた、……”と粒焼いたのは誰だったのか、……）

う手法がありますよね。その「消す・消さない」の関係性にとても心を引かれております。例えば学校の先生が黒板で書いたものを消していく。原稿でもそうです。やはり消していく。でもその消していくときにも、頭はやっぱりほっておいても考えているわけです。

さらに図に乗って言いますと、わたくしがものすごく大事にしている「瞬間」が、自分で自分のもののコピーをとってる瞬間なんです。コピーをとっている瞬間にもやっぱり考えているわけです。コピーを取りに近くのコンビニに行く、その歩行のときですよね、筆写をするときもそうですが、そのときに何か霊感が立ち上がることがあるのです。そういう意味では、やっぱり写すことへ戻って来ますね。別に狙ってやるわけではなくて、本能的に写真で二重写しなんて暴挙をやったりもいたしましたけれども、二十年、三十年たってみると、それがいかに大事であったかがわかってまいりました。二重露光もある意味においては「見せ消ち」なんです。上書きをされてもう消されてしまったからこそ消されたほうのもののほうから何かが亡霊としてあらわれてくるのです。

詩の「抜け穴」

ヴァルター・ベンヤミンに「破壊」について書いたものがあるでしょう? 破壊してみたら何ができるか、瓦礫の中を縫う道ができる。その瓦礫の中を縫う道こそは大事なことなんだということを、ベンヤミンが言っているのですね。ポイントは、この「縫う」でもあるのね。「縫う」も「繕(つくろ)う」も「紡(つむ)ぐ」もね、女の人たちの太古からのしぐさですね。ここで気づかないような思考がされている筈なのね。市村弘正(いちむらひろまさ)さんに教えてもらってね、ドイツ語にも当たってみたんだけど、それをわたくしなりに言いかえると、細いブラックホールの道みたいなものに変わるよね。これは、「詩作」という作業というか行為と、やはり必ずや関連性があるのです。そういう意味では、芭蕉さんはただ単純に『奥の細道』と題名をつけたのかもしれないけれど、無意識にせよ、よく「細道」と言ってくれたものだと思います。しかも「奥の」ですからね。普通みすごされてしまう言葉だけれど、無意識にまで届いています。

そのことと合わせてとても印象深く覚えているのが柳田國男の『海上の道』の中にある「鼠の浄土」という論考です。家の隅っこに穴があいてて、そこにお餅が転げ落ちていって、それを追っかけていくと鼠の浄土があるというやつですが、その抜け道みたいなものは、芭蕉さんの「奥の細道」にもつながるし、あるいはさらに延ばしていくと、人が旅をしてどこかに行くというのも、常に潜在的に自分の命がいまだ知らない抜け道を目指して歩いてるのかもしれない。ヒトは、瞬時にして、そんなことを、みえない道のことを、いつも考えているのね。さらに大風呂敷を広げると、日本までたどり着いた、各所からやってきた血や魂というのは、そうした先祖代々のか細い悲しい抜け道を通ってやってきたような人たちの心なんじゃないか。そうすると、芭蕉さんの「奥の細道」というのはそれの延長としても言うことができるんじゃないのか。

でもこの「抜け穴」に代表される「穴」というものは、いわゆる無意識とはちょっと違っているのではないかと思うのです。むしろもう気がついたら、その無意識と言ってるやつよりももう少し下のほうに何かがあったという、そういう気がつき方のプロセスの途中に出てくるのがいわば現在、無意識、不在といわれているもので、それを掘った先に、その行き着く先にはじつは何もないのかも知れない。もうこの先には他界もないし天国もないし神様もないし何にもないという、そんなところにまでぶち当たったときに、今度はそこにおける感じ方とかいうものそのものが変わっている、というような、なにかそんな白いような、……「境域」、……ちょっとこの言葉は宗教がかっているし、大げさなのでなるべく避けたかったのですが……そんな「場」が、どこかにあるのかも知れない。

詩の入口としての「白い街角」

つまり、やはりマラルメの言う「不死の言語」、言語のさらに「底」、あるいはベケットやジョイスが懸命になってつかまえようとしたところへは、普通で言う「死」を通っていかないと、やはり行けないのでしょう。その通路にわたくしも、わたくしなりに少しずつ少しずつにじみ込むようにして入っていったというのが詩業の歩みだったのではと、今振り返ってみると思えてきます。しかもわたくしの場合には、それを物語や、あるいは論理的な論述にはしないで、詩のあらわれとして捉えようとしたのです。

これはごく最近のことなのですが、石巻市街に月に一度必ず戻って行って、明るくて白い街頭を歩いていて、その白い道と白い人影が、詩への入口らしいと気がついていました。現実でもない非現実でもない、他界とも別宇宙ともいえない、そう、「虚の宇宙」があるのです。「詩」は、そこに接しているらしい。「詩」でも「生」でもない、……「虚」

としかいいようのないところへの入口がみえた刹那がありました。

　そうしますと、ここでいいます「死」というのは、ハイデガーが否定的に言うときの、その影におびえ、それを忘れて存在忘却に陥っているという、そういう状態ではないでしょう。逆にもう年がら年中、非常に細かく間断なく、「死」の、白い影のような歩行者がいるらしいことが判るから、それと、刹那に、あるいは四六時中、面壁しているということなのですね。無意識の素で、「生」からみての「死」とつき合っている。そしてその状態が、とても深くなってきている。

　ちょっと書けないような状態に誰でもがなってきてるんじゃないかな。言い方を変えると、物語として書けるような、そういう世界じゃもうなくなっちゃってきているんです。そのような世界にしてしまったらもううそになってしまう。もっと、何というか、よりリアルなものなのです。音楽が必死になって、苦しんで苦しんだ上でようやくわずかに摑めるような、何か「新しいとき」みたいなものが詩にもできるかどうかでしょう。つまりその場合には、出来上がった作品というより、何か、「立ち上がり方」みたいなことのほうがむしろ重要になっている。そこに毎回、真実が、真理が、立ち上がったり、立ち上がりかけては終わるみたいに。序でもいいましたが、それが少し、ほんの少しだけ立ち上がるようになって来ているのですね。石巻の白い明るい街角はその一例でした。誰かが、不図、そこに辿りついた気がしていたのですね。

それはわたくしが映画という第三の、透明な目を通じて必死懸命にやろうとし続けてきたこととも繋がっています。gozoCinéも、もうやり始めてから二十年近くになるのですが、これもそういうものの先端部分に触れようとする、たった今の、「手の試み」の、やはり一つのあらわれであったのだと思います。

九・一一の直後に台湾に行って読んでいたのが『クレーの日記』でした。それから、三・一一の後、一所懸命読んでいたのが『ゴッホの手紙』。論述的なものじゃなくて、エクリチュールの極限まで行った、そのたった今の、筆先の先端の光みたいなものにさわらないと、これはだめだなと、そういう覚悟がありました。論述的なもの、あるいは小説的なるもの、それは一切破産したというのが今現在のわたくしの中の声なのです。また同時に、エクリチュールとかパロールとか、そういうものもそのとき既に死んだのです。

あと、到達、デスティネーション。目的地という概念はもう捨てちゃったほうがいいでしょう。だって「目的地」ってあり得ないんですもの。すべてが「途上」なのですね。うん、ツェランの声を想い出して下さいな。

「ポエジー」と言ってはいけない

ということは、いわゆる詩らしい詩といいますか、「これが詩だ！」とか、そういう言い方をするところからも、もう外れなきゃいけないということです。「まあ、詩と言っておいていいかな？」というぐらいでとめておいたほうがいいんじゃないかな。これはわたくしの作品総体についても言えることですが。

本のタイトルが『詩とは何か』なのに、「詩はないんだ」ってなりそうだ(笑)。

また、ポエジーと言っても、もういけないのだと思います。ポエジーと言ったら、全然だめになっちゃいます。途方もない、なけなしの力のあらわれ、みたいな、……もしかしたら、ビートルズとかジミヘンとか、「ロック」の精神の根底にあるものが、いちばんそれに近いのかも知れないな、……そういったものを追いかけなければいけない。そう、存在の修羅場みたいなもの。だからもう、詩とか散文だとか言っててはだめなのであって、わたくしなどはそれを壊そうとしてやっているのです。

そういうことを考えてずっとやってきたおかげで、ようやく、誕生したときの言語以前の驚き、その手ざわりの、小さい声みたいなものには少し近づいてきているような気はします。

その「途上」なのですね。

アリス（唖隣巣）、アイリス（愛栗鼠）、赤馬、赤城、、、、、オヽヌマノコテイヲ沈メ、セシウム、九五〇*becquerel*、コテイニ沈メ、オヽヌマノ、オ、奴ー魔ー乃、、、、、

イシス（石巣）、イシ（石）、リス（栗鼠）、石狩乃香、、、、、、イシカリノカコ、イシカリ乃、古、石狩乃、幽霊乃家、家、家、、、、、

兎（ウッ）！　巨大ナ静カサ、乃、宇（ウッ）！　コ、ノ、ワクセイヲ（緒）ミヅ（水）価、ワカレテイク、オリノ、シグサ（仕草）価、ミヘテイタ、、、、、イタヨ（世）、イタゼ（ze）

〃黄泉（ヨミ）を（尾）、

折りたゝム、、、、、

シ〃　꺾다［k'ɔkt'a：コッタ］：コッタ、タコク、……はんぐるヲオボエタコトノアッタオリクチシノブ（折口信夫）、、、、、

白（ブラーンシュ＝*blanche*）狼（ルー（*loup*））、

ルー——、イリ、

シキュウ（手宮）乃

、ユキ、

ミチ（ニ）

〝折ルノコクタ〟ノ

タノ、コ、エガキ、コエ、テキ（手）ニイタ、、、、、

萱窪（カヤクボ）、萱窪（カヤクボ）……（二〇一二年二月一日、午後一時四十五分、武蔵乃国の山の奥ヲ、、、、、）

萱窪（カヤクボ）、萱窪（カヤクボ）……（無言乃口（くち）乃、亜（ア）、ン、太（タ）、ほっ（仏）と、ンド、素戔嗚乃様（コー）、、、、、）

萱窪（カヤクボ）、萱窪（カヤクボ）……（二〇一二年一月二十九日、*Marilya* 乃巴里から乃〝音（トーン）〟ヲ傍（かたはら）ニ考へて居た、、、、、）

萱窪（カヤクボ）、萱窪（カヤクボ）……（*Bonjour Marilya, Sooky nous a quittés à 15 h. Elle n'est pas partie seule. J'étais à ses côtés. (In English: Hello, Marilya, Sooky has left us at 3PM. She did not leave (die) alone)*）

籠手（コテ）トモ、コ　テ、、、、、乃アハ（泡）　ユキ（雪）、キコ、エ、テクル *côtés* 乃S（巣）＝ム、音ニ（仁）、

ミ、ミ、緒、ス、マシテル、イリ、白狼（ブランシュ　ルー）！

吉増剛造の「テクスト」の一例（『怪物君』より）

わたくしは道元がとても好きなのですが、道元の言葉に「朕兆未萌」というのがあります。「この世が萌え出る以前、その兆しに立つ」。つまり出来上がったこの「世界」、あるいは「自分」というものの、その出来上がる以前の状態に戻れと言うことです。わたくしが、必死になって、なんとかつかまえようとしているのも、このような状態なのかも知れません。この「朕兆」が道元が考えていた「刹那」なのだろうと想います。

エクリチュールとかパロールといういい方では、おそらくもうつかめないのですよ。そういった用語に置き換えようとして、「根源乃手」とか、「筆蝕」の項でお話をいたしました、「穴をあける」というような言い方をいたしました。

間断なく位相をずらしていく。何か、「こうだ！」といった瞬間に、もう、そのままそれが制度的な言語になってしまう。それではぜんぜんだめなので、わたくしの場合には、もうめったやたらに点を打ったり、ルビを振ったりして、横へ横へと何も固定されないようにずらして行く。脇に行く。間断なく、ずれをつくって。その上で、その過程を意識に上らせなければいけない。ということは、その過程自体は言語化できているということです。しかし今度はそうすると、言語化はできているけれども、それを「詩」にするときにはどうなるか。そのときには完成形としての「ハーモニー」みたいなものを、どうにかして幻視しなければならない。

つねに脇にずらすということになると、「真理」というか、そういうものは、逃げ水みたいにどんどん逃げていって、結局、到達することはできないじゃないかとおっしゃられるかも知れません。でもそれはそれでいいんじゃないでしょうか。「真理」というのが制度というか「フィクション」としてしか成り立たないのだとすれば、無理にそれを成り立たせることはないんじゃないかな。だってそんな真理、本当の「ほんとう」じゃないじゃない。

ハイデガーが、特に一般に「後期」と呼ばれる時期の著作についてですけれど、「道であって作品ではない」と言ったことがありましたよね。ただただたどることとしかなくて、ゴールはない。そういう、何か「道行き」みたいなもの。ある意味ちょっと、修行者という言い方がいいのかどうかわかんないけれど、「行為者」というか、要するに「道を行く人」なんですよ。そういうところに今現在、この老詩人は、その「途上」にたどり着いたようです。

この場合にも、「道」というのは「作品」という「ゴール」に至るためのたんなる手段ではないのですね。「道」をたどること、その行為そのものの中にしか、「ほんとう」は貌を顕わしてはくれない。わたくしの言い方をすると、その現れ方も、ふ、っ、と、……その、一瞬のことでしかないでしょう。たとえばわたくしのような才の乏しいものは、そうした性質の、気がつかないような「道行き」というものを何度も何度もたどり直すしかないのです。そのような過程の、その繰り返しの総体のことを、今、ある一人の芸術家の「芸術行為」――「作品」というよりは、むしろ――と、かりそめに呼ぶことに、なったのではないでしょうか。

たぶん「ビート」が目ざしていたものも、わたくしに言わせるとこれなのです。あるいはずっとわたくしがコラボを続けてまいりましたフリージャズも。

「ゴール」、「仕上がった作品」は、もはや問題ではなくなっているのではないのかな、もう今となっては。そこに辿りつくまでのすべての過程をそのうちに含む「足取り」、「行為」そのものが「芸術」である、といって「パフォーマンス」では決してない、というのが現在のわたくしたちの行っている行為というのか「創作」の「素のすがた」なのではないでしょうか。

だから、一番近いのは、修行者。なんだけど、ある系列に属して団体をつくっちゃうような、そんな修行者じゃない。わたくしは徹底的に離群症というか、孤独症ですので、「寂しい犯罪者」、とでも言いましょうか、たった一人の犯罪者がこんなことをやってるみたいなもので、「外れ坊主」と言いますか、良寛さんに少しだけですけれども近いのだろうかと思いますが、……ね。

こうしてお話しをしながら、「詩とは何か」ということを、どこにもたどり着きそうもないような道筋を見つけようとして探していくうちに、どうやら詩がそこを通ったらしい痕跡と、そのそばで立ち上がってきたであろう「光」に、ほんの少し戻るような、そういう径が少し見えてきた、ほんの少し白い道のかげの径が立って来た、そのような気がいたしています。

おそらくハイデガーは直観をしていたのだと思いますが、こういう次元まで来ると、たしかに詩的言語と哲学的思考はどこかで関連してくるもののようですね。それに加えてわたくしの場合には、映像表現の生成の場と詩的言語の発生もまたそこには絡まってきているのですが。

しかしそこまで来るともう、分析はわたくしの手には負えませんので、どなたか若い、優秀な方に後事を託したいと思います。

でも手は、そんなことにはおかまいなく、もうどんどん先に進んでいきますが、……。

こんなふうに考えていくと、思考に差す光もどうやら少し、変わってくるみたいです。アルトーの思考の腐蝕状態からほんの少し、東洋的に、脇道に入って、そこからとうとうちょっと出た、みたいなね。じつに貧しい例なのだとは思うのだけれど、「現代詩」というよりも「自由の詩」ですよね。詩の「未知の本質」を、懸命に追い続けることが出来て、ほんの少し、思考の枝葉の徴(しるし)のみえる白い道のほんの道端のようなところに辿り着いたという気がします。

ちょうど、ソシュールの「アナグラム」についての論(ジャン・ボードリヤール『象徴交換と死』、ちくま学芸文庫)の中に、ニーチェのこんな言葉があって、わたくしがほとんど盲目的に考えていたらしいことはこれに近いと感じましたので、このニーチェの言葉をご参考に引用しておきたいと思います。

「文章を構成するあらゆる原子の順序を一新する」

(同書、四七四頁)

いかがでしょう、一気に一新しましたら狂的なことになります。しかし、ここに、「詩的暴力」の波頭が垣間見えているのだと思います。

「純粋」ではなく「根源」へ

わたくしは、これまで幾度か、「現代詩ではなく自由詩なんだ」と申し上げてまいりました。ここで言う自由とは、何をやってもいいということではなく、……それではやはり芸術一般にとってもっとも大事なものである「根源的なハーモニー」にまで達することはやはりできないと思うのです、……いかなる「出来合い」のものにも倚りかからないという決断、あるいは態度のことなのです。あるいはそれは芸術における「ウソ」＝「フィクション」を、徹底的に拒否するということなのかも知れない。

ただ、急いで付け加えなければならないのは、これは「純化」、すなわち「純粋性」を探求するということではないということです。むしろ「純粋性」にはいまわたくしは、「知的なもの」の限界を、よりつよく感じるようになっています。その意味では、この書物の当初からキーワードとして用いてまいりましたベンヤミンの「純粋言語」という概念でも、もうちょっと違うんじゃないか、そのような思いがこのところ、だんだんと強くなってきているように思います。

むしろ、純粋と言うよりも根源。もしかしたら「赤ちゃん」みたいなものかも知れない、「言葉の赤子性」、……なんていう言葉がいまふっと、とっさに浮かんでまいりましたけれども、そうか、ニーチェをかりていうと「赤子の原子性」ともいえるのかしら、……ね。そのようなものとしての根源を摑むために、それを妨げるあらゆる「フィクション」を、おそらくは「制度」と呼び慣わされているもの、……その最大のものはやはり言語でしょう、……その向こう側、あるいはその奥底か下底にあるものと出逢ってみたい。わたくしにおいて、「創作」という「行為」にわたくしを衝き動かしているものをあえて言葉にしてみますと、そういうことになるのではないかという気がいたします。

「制度」というものは、どうしても源初のなにものかの起ちあがり、……わたくしがその底にふれようとしているもの、赤子のような寄辺のなさ……を、「作品」として固定させた瞬間に、固く凝固させてしまいます。作品とは、喩(たと)えて言えば蝶の標本のようなものではないでしょうか。蝶は、ひらひらと飛んでいたり、花の蜜を吸っていたり、あるいは交尾をしたりします。もっと言えば、子供のときは芋虫(いもむし)で、葉を囓(かじ)って、糞(ふん)をどんどん落とします。そういったもののすべてが「蝶」なのですけれど、展翅(てんし)された標本では、……たとえいかに美しい姿にされていても、……そのような蝶の「ほんとう」、その赤子のような寄辺のない「瞬間」は、見いだすことはできません。

　創作の過程と出来上がった作品の関係も、これと類比的にとらえられるのではないでしょうか。わたくしは、何か根源のようなものを求めて、がりがり紙に字を書き付けたり、目をつぶってインクをぶちまけたりと、ある「行為」を行っているわけですが、重要なのはその行為自体、それを行っている過程の方に、そのまた影の方にあるのであり、あるいは虚の歩行の方にあるのであって、出来上がった「作品」というのは蝶の標本のようなもの、一種の抜け殻なのかも知れない。ジョルジュ・バタイユだったら「侵犯、あるいは戯(たわむ)

れ」といったでしょうね。おそらくは「詩」の抜けた抜け殻、……。

あるいは、波打ち際の砂浜に残された足跡でしょうか。ここを、さっきだれかが通っていったという、その痕跡、……。しかしミシェル・フーコーに擬えて言いますと、この痕跡は、波の一掃きによって、たやすく消し去られてしまうのです、ね、……。

もっともこういったことども、いま現在の途中経過のご報告に過ぎないのかも知れないのですが。

たとえ、もうこんな齢になってしまいました、老詩人といたしましても。

第三部　実際に「詩」を書くときのこと（Q＆A　質問：林浩平）

ホテルニューさか井206号室の窓。左手に海峡を挟んで金華山が見える

1　実際に詩を書かれるとき、習慣としての執筆儀式のようなことをなさいますか？

「儀式」というところまでは行かないのでしょうが、そこまで行くことのない微妙な中間のようなところで、心だけではなくって、心身をととのえようとしているようです。たとえば野球のイチローが、スイングの前にユニフォームの右袖をつまむようにして引っ張る仕草をしますよね。あの、リズムのようなものをこしらえる準備動作が必ずあって、……そうか、震災以来、その手先を真似て「根源乃手」と名付けた、吉本隆明氏が、詩を記そうとしているときに、引かれる罫線も、その準備運動の動作、仕草に似ていますね。その微妙な状態を、なるべく示すように、心懸けています。これは決して「儀式」とはいえないでしょうね。

2　最近、「Switch」誌（二〇一二年五月号）にアラーキーさんに捧げる詩篇「雑神（ざっしん）、アラーキー」を書き下ろされたところですが、この詩を書きだすときのインスピレーションは何だったでしょうか？

雑神（ざっしん）、アラーキー

豪徳寺（ごうとくじ）の露台（バルコニー）の上（うえ）の空（そら）も、もう何処（どっか）へ、行（い）ってしまった

ruby、振ってる心
も
手も

荷車と台八車の蔭の 魂 のようなところで
萎びた、白い花
女 心が揺れていた
経惟

と名付けた折の浄閑寺の和尚の直観は正しかった
おお
無限の心といふものの騒哉！
おお、経惟といふものの怖るべき心ののびよ！
のびよルビよ、濁矣よ、暖簾、手拭の汚れよ、揺れよ
の

の

〃bi、bi、bi、……〃の、木の香の、〃i〃、…

死の女神がさ、この〃bi、bi、bi〃の穴には、棲んでるのであって

誰も、みたことの、ない

光の道を

つくっちまったのが

豪徳寺の三輪のWienのショパンのモーツアルトの

〃bi、bi、bi、……〃

の

雑神、アラーキー

ハイ。最近作にお眼をとめて下さいまして感謝申し上げます。この詩篇を書いたことによって次のエッセイ集の題名が決まったのですが、この「雑神」は、二十年、五十年、心にひそかにあたためていた言葉でした。出典は柳田國男さんの『石神問答』でした。柳田

さんが不図、もしかしたら不用意に使ってしまったこれは言葉で、『雑神、イェイツが伝えてきたこと』（小澤書店、未刊）をと、表題をつけてしばらくのあいだ考えておりました。それがアラーキーから久々にゴーゾーさんに詩をというお声が懸かりまして動きだしました。ご存知のヒエラルキー（階層）＝〝Hierarchie〟（ドイツ語）が日本語化したものでこれを「雑神」の訳として貧しい、乏しい、低い神というとり方をして、low hierarchy god としてみたときに聞こえて来たのが、アラーキー（ハイアラーキー）でした。つまり、ドイツ語と英語の〝chie〟〝chy〟と〝荒木〟が結びついたということは、あるいはここにもアラーキーの天才性があるのだともいえるのですが、わたくしにとっても、こうした言語の不思議な巡りを通してとうとうこの「雑神」という言葉を生かすときが来たのだということなのです。聞いて下さってありがとうございました。

3　ヴァレリーは、「詩篇、音と意味との間で長いこと続くこの躊躇」と言っています。詩篇の最初の一行はどんなふうに生まれてきますか？

ながいあいだの言葉がしていたらしい「巡り」が、ヴァレリーのいう「躊躇」あるいはわたくしの言葉でいいかえますと「逡巡」さらには「困惑」であったとするのならば、詩の最初の一行にも、とても長い旅があった筈で、そのことを考えてみることも面白いことなのかも知れません。つまり、途方もない「躊躇」、「逡巡」、「困惑」の涯に、みたことも聞いたこともないような新しい言葉（詩の一行）が誕生して来るのだとしますと、その、途方もない「長い旅」と「躊躇」と「逡巡」と「困惑」の深さの方が大切で、ここから、おそらく大多数の方が賛成をして下さいませんでしょう、ごく少数派の考えであることを承知して申し上げますと、「新しい言葉（詩の一行）」よりも、詩作の折にだれでもが直面するこの「躊躇」、「逡巡」、「困惑」のときに、……「とき」では不正確かな……その場に賭けるという心が、わたくしには生涯を通してありました。

まさか、こんなところに近づいて、こんな一句を思い浮かべようとは想像もいたしませんでした、芭蕉さん最後の

旅に病んで夢は枯野をかけ廻る

が、「長い旅」の一行だったのです。

ごめんなさい。「最初の一行」と問うていただきましたのに、「最後の一行」になってしまいました。

4　詩を書くのに一番適した時間帯はいつでしょうか？

どうでしょうね、前の問を引き継ぎますと、「夢のなか」という答えになりますね。

5　詩を書くのに一番適した場所はどこでしょう？

お詫びを。わたくしは、質問と応答がどうしてか、うまく出来ません。どうしても、「問」から離れて、漏れて行ってしまう方へと、内部の思考が働くのです。このご質問の場合にも「一番適した場所」を書斎ではなくって、中也や宮沢賢治さんもそうだったのかも知れません、「歩いているような状態」と答えないで、……いや、そう答えないでそう答えているのかも知れないのですが、……こう、お答えをいたします。

紙の上の手が届く場所でしょう。

6　詩は、どんな用紙にどんな筆記用具で書かれますか？

これは、時を追って、ご説明をしていきますと途方もないことになります。まず支地体(しじたい)も、紙から銅版、ガラス等々と変化をして来ていますし、筆記用具も、ペン、鉛筆、毛筆、鏨(たがね)等々と。そして次のご質問ともつながって来るのですが、「筆記」が音楽化して来ることになります。

7　詩を書くときには、音楽を聴きますか？

聴くことも聴かないこともあります。もうひとつのお答えは、音楽を創ろうとしている、……といえるのだと思います。

8　詩を書いているときの高揚感のようなものは、コントロールが可能でしょうか？

「高揚感」という言葉でいわれるような心の状態は、経験したことがごく少ないし、むしろ、逆の冷徹になり、沈んで行くような心の状態になることの方がおおいのだとおもいます。

9　詩を書き終えようという態勢に入るときは、なにを意識されますか？

調和、秩序、静けさ。

10　書きあがった詩を推敲する際のポイントはどういうところでしょうか？

「推敲」という考えとは、違うところで何かをしようとしているようです。「推敲」ではありません。こうして答えながら、「書きあがった」ということはないのだ、未完の状態にあるという声が聞こえて来ていました、……。

11　エミリー・ディキンソンは詩にタイトルをつけなかったそうですが、吉増さんは詩のタイトルは、どういうふうに付けますか？　タイトルはいつ生まれるものですか？

タイトルを並べてみるとき、それが、一篇の詩になることを目指していたことがありました。ということは、それほど「タイトル」を大切に考えているということで、大岡信（おおおかまこと）さんが、それを指摘されたことがありました。エミリーについて、「タイトル」を付けるという心がなかったことに羨（うらや）ましさを覚えます。ということはエミリーが新聞、雑誌等のメディアからの要請から遠いところにいたことを意味します。それを考えていますと、とても難しい問の前に立たされます。わたくしの詩作にとって「タイトル」は不可欠でした。二十数冊の詩集の題名を並べてみている心もまた、「詩作」の持続でした。

12 吉増さんはずっと「小説嫌い」を公言されてきましたが、どうしてなのですか？

どうしてなのでしょうね。まず第一に「筋」を辿るということへの嫌悪です。つねに、逸脱、越境、飛躍、直観、驚異、……と、心の奥底の小声を列挙してみましても、それはわかります。

13 「物語の力」への警戒感があるのでしょうか？

おそろしい、その「物語の力」を、経験したことがないらしい、……さらに踏み込んでいいますと、その「物語の力」を信じていないらしいことにも気がつきます。

14 今回のインタビューのなかで、ベンヤミンの「翻訳者の使命」に登場する「純粋言語」の概念に何度も言及されていますが、吉増さんが考える「純粋言語」とはどういうものか、改めてうかがいます。

ごく最近のことからご説明をして参ります。ごらんいただきました方もおられましょうか。二〇二一年三月二十七日（土曜日）NHK、Eテレの「SWITCHインタビュー達人達」という番組で、ロックシンガー、稀有の詩人の佐野元春（さのもとはる）さんとご一緒をいたしました。その収録の日に、三浦海岸でしたが、ロケ地に、「もしかしたら」と言う小声に従いまして、ジェイムズ・ジョイスの声（Finnegans Wake、一九三〇年代に、パリで録音、故柳瀬尚紀氏訳、カセット・テープも、柳瀬さんが下さった、……）を携えて行きました。これも小さな旅なのです。少し、専門的すぎて難解なのかな、……と心配をしながら、英語のサイレント（黙音）である、「ｎｉｇｈｔ（夜）」、の「ｇｈ」が、こうしてジョイスの声で聞こえてくるように感じられませんかと、佐野元春さんにもスタッフにも、もしかしたらテレビの向こうの多くの方の耳にも届くのかしら、……とこころみにそんなシーンをつくったことがありました。さいわいにディレクター氏が旧知の井上春生氏であったということもあって、そのシーンが生かされました。その「沈黙した言葉／ｇｈ」への驚きは、部厚いものでした。「世界言語」となりました「英語」の根底か奥底の妖精的なるものが、こうしてわたくしたちの日常のすぐ傍にまで立って来るようになったのだな、……という感慨があったのです。

さて、その後のことです。この書物でも、再三にわたって触れて参りました、石巻行、……一ヵ月に一度は必ずそこに戻って行く、だれか知らない呼び掛けの声にさそわれて、……これは二〇二一年二月十日のことでしたのですが、不図、何となく、塩釜が呼んでいるような気がしまして、……こう綴っていますときにも、雲か霞なのか薄い、呼び声がまた聞こえてくるのですが、本塩釜という駅の傍のホテルに一泊をしまして、次の日（二月十一日）が締め切りと、和合亮一氏との対話をいたします日となっていて、そこで三十行程の一篇の詩を書いておりました。題は「石巻へ」、……。

こうして綴りつつ、少し怖くなっても来ているのですが、甚大な被害を蒙りました石巻も、北上川河口の市or市でした。石狩川河口に、坐りつくすようにして綴りました、二十幾年か前の長篇詩の題名も「石狩シーツ」でした。「*i*」が、わたくしなりに、夢中で旅しました「純粋言語」が、かわいい、妖精のように「.*i*」の姿でここに顕って来ています。

じつは、順序はちがっていまして、河北新報（二〇二一年二月二十八日付、宮田建さんご担当）に発表後しばし、新聞紙上に直接朱筆で、つれづれなるままの改作（「推敲」ではなく）をはじめていまして、手が、……いま傍点を振りましたが、ここが言語の所作あるいはしぐさです、「石巻」という表題を「.*i*市」と変えていて、……どうでしょう、何となく、陽炎が立つ気がしませんか？　次の刹那、……これは、いわば日々の創作の一齣となっているのですが、書きつつ写す（いま、左手に小型ビデオカメラを持って、右手に筆を、……のシーンを言語化しつつ、これが、災厄以来つづけています、故吉本隆明氏の筆写〈臨書〉のことであることにも気付いていました、……）そのときに、そうだな、先達てのテレビでの佐野さんとのときの「g h」は、……と思わず、a、b、c、d、e、f、g、h、i、……と、小声で唱えるようにして、仰天していました。

「*i*」が、「gh」の木蔭に、そっと隠れているではないか！　と。

この「*i*」の隠れた、まさに神出鬼没の旅こそが、わたくしにとっての「純粋言語」でした。書けたのだと思います。

15　ヴァレリーはまた『カイエ篇』のなかで、「見つかる詩句がある（その他の詩句は、作られるのである）」と言っていますが、この言葉についてはどう思われますか？

またヴァレリーですね、林先生らしいご下問です。「詩篇、音と意味との間で長いこと続くこの躊躇」のところで、丁度読書中のモーリス・メルロー＝ポンティ『シーニュ』（ちくま学芸文庫、四二頁と八九頁）の「言葉の動物」＝「語る潜在能力のこと」（メルロー＝ポンティ）が、とっても、生彩のあるところなので、しかも、この「語り」の「仕草」がとてもいいので、「言葉の動物」の「注」の引用をさせて下さいませ。

「講義において彼〔＝ヴァレリー〕はしばしば彼の精神についての考え方である混合体(implexe)について語っていた。これは私たちの内で生きている神秘的な動物で、私たちには異様な語を語る（というのも、生まれたばかりの子供は、この語を社会から少しずつ借用するのだから）。だがこれこそが私たちの内でもっとも不快なものであり、私たちの思考そのものだ。ヴァレリーの内では、この混合体、語の動物は、かつては若き野獣であったが、ポーやマラルメの教えに従って飼い慣らされており、私には、そうした師たちよりもはるかに優れたものになっているようにみえた」（前掲 *Recherches sur l'usage littéraire du langage*, p.65. n.2）。メルロ＝ポンティはこのヴァレリーについての講義で、「混合体」の概念をきわめて重視している。

おそらく、「見つかる」が、メルロー＝ポンティのいう、「混合体」＝「生まれたばかりの子供」に当たるのですね。そう「作られる」は、その「若き野獣性」を失った言葉なのです。

16 詩を書き始められたころのディラン・トマスとの出会いについて語っていただきましたが、そこで詩篇「緑の導火線（green fuse）」に触れて、「ディラン・トマスの爆発的なエロス」と仰っています。それは詩のどのような表現に感じとったものでしょうか？

濁声（だみごえ）です。

17 萩原朔太郎のことを、「日本で詩の極限まで行った」、まさに最高峰の高みにある詩人だと評価されましたが、具体的には朔太郎のどういうところが特別なのでしょうか？

朔太郎が亡くなりましたのは、昭和十七年（一九四二年）です。詩篇をみましても、朔太郎は絶望と憤怒のなかで亡くなったことは、歴然としています。

そうしたことが、「極限」といわせているのでしょう。そして、殊に名篇『月に吠える』で全身全霊で詩の精髄を捉えようとした、……朔太郎は、「はらわたを搾る」といいますが、稀有の集中で日本語の「詩」を搾りだし、生誕させました。才能を云云するよりも、この「全力集中」の産みだす力を類例のないものとして高く評価するものです。本書（一四七頁）では「浦」をあげましたが、ここでは「龜」を。

龜

林あり、
沼あり、
蒼天あり、
ひとの手にはおもみを感じ
しづかに純金の龜ねむる、
この光る、
寂しき自然のいたみにたへ、

ひとの心霊(こころ)にまさぐりしづむ、
龜は蒼天のふかみにしづむ。

九行の短い作品中に、深く切り込むような韻律をともなって、……いや、韻律そのものとなった「天地」が出現して、詩篇の「地面」をともないつつも現れて来る「蒼天」、これが詩の鍵です。このような、この宇宙に初めてあらわれた垂直感をともなった「蒼天」といいとともに「純金の龜」はねむっているのです。しかも「しづかに」「しづむ」のです。このような奇蹟的な詩を、朔太郎は「はらわたを搾って」誕生せしめた、……この力が比類のないものでした。

18 「なぜエミリー・ディキンソンに、こんなにも惹かれるのか」というので、「手紙のようにして詩を書いた人」だから、と仰いましたが、そこをさらに詳しく説明頂けますか?

「手紙」から入りましょう。「メモ＝ｍｅｍｏ」といってもよいのでしょうか。言葉のもしかしたら、もっとも生き生きとした、先程のヴァレリーのいい方をかりると「言葉の動物性」ですよね、それがもっとも生き生きとした姿をあらわすのは、赤子、子供、……ですよね。「専門家は保守的だ」は、片桐ユズル氏の名言でしたが、エミリーは、決して、「専門家」でも「学者」でも「文人」でもなく、……そう、絶対的な「孤独」あるいは

「孤立」に、その魅力の核心があります。そして女人（おんなびと）であること。「女人」と綴るとその名状し難いときめき、光芒、……これは何でしょうね。

聖書読みでしたエミリーがあるとき「イブ」の隠れること、恥の感覚についていったことがありました。

孤独と恥。

これで、ほぼエミリーの核心はいい尽くせたのだと思いますが、折角、こんな機会に恵まれましたので、「孤独」とも「恥」とも異なる、こんな「詩」の「心」の働きらしいものに触れてみたいと思います。

臨終なしに死ぬこと
生命なしに生きること
それが一番きびしい驚異だ
信仰へとさし出されたなかで

To die — without the Dying
And live — without the Life

This is the hardest Miracle
Propounded to Belief.

この「臨終なし＝without the Dying」は、次第に教会へも赴かないようになった心の働きをあらわしていて、そして「おまえ、それに耐えられるの、……」という、小声をも、震わせています。ハイフンあるいはダッシュと「D」と「L」と「M」などの大文字に、読み側の心も、そこにとめて、少し呼吸を止めるようにしていますと、いまはじめて、エミリーが、おそらく心のなかで「臨終（the Dying）」よりも「生あるいは生命（the Life）」に重心がかかっていったらしいことが判って来るような気がいたします。

そしてこの「Miracle（驚異）」が、生き生きと伝わって来ます。

もう一篇。おそらくこれは近くの庭にも出ることのなかったエミリーの自画像のようにも感じられます、

私の一度見た幽霊は
メクリンレースをつけていた

サンダルもはかず
舞う雪のように歩いていた

音一つたてず　まるで鳥の身ごなし
子鹿のような足早さ
なりふりかまわず　奇妙なモザイク風
あるいは　宿り木のよう
（……）

The only Ghost I ever saw
Was dressed in Mechlin — so —
He wore no sandal on his foot —
And stepped like flakes of snow —

His Gait — was soundless, like the Bird —
But rapid — like the Roe —

His fashions, quaint, Mosaic —
Or haply, Mistletoe —
（……）

を、数えてみますと、残念ながら訳文にはないのですが、ハイフンあるいはダッシュが、八行に十回も、そう、エミリーの心は踊っています。生命なしにね。

19「わたくしの最も好きな詩人はエドガー・アラン・ポーなんです」と仰っていますが、ポーのどのようなところに惹かれますか？

音韻。太古の、遥かな、野獣のごとき。

20 田村隆一さんの詩「保谷」のなかの「黒い武蔵野」という言葉に注目されて、「ここには余人では言えない、田村隆一だけが感じ続けている『恐怖』がある」と仰っていますが、この「恐怖」の感情とは、具体的にはどういうものなのでしょうか？

おそらく、「黒い武蔵野」は、野獣のごとく、飛び出して来たものでしょうね。田村隆一氏の項でもいいましたが、突然襲って来たものでしょうね、……。

さがしてみますと、中原中也に「昔ながらの真っ黒い武蔵野の夜です」（「更くる夜」）という一行がありましたが、中也さんの柔らかい、親しげな口調、トーンとは違っていて、まったく、切り離され、切断されて、田村さんの一行は現れていることが判ります。この途方もない切断ですね。

つまり、わたくしたちが感じている「恐怖」に、突然、別の方向から、誰もそれを感受したことのない方角から光がさして、「恐怖」がはじめてうかぶ。これは、詩のもう一つの根源である「驚き」よりも、深くて遠い。エミリーにも、「斜めの光」が射していますが、田村さんの場合はきっと、ご自分が、……その「恐怖」の核だったのです。

21 吉本隆明さんの『日時計篇』に触れて、「何とも言えない恥ずかしさ」があると仰っていますが、その「恥ずかしさ」「気恥ずかしさ」とはどういうものか、説明していただけますか?

これは『日時計篇』巻頭の「日時計」についての「分析」というよりも、感受の仕方の変化を語ることになるのですが、幼児たち、殊に男の子の遊びが、蝶蝶の蒐集や、昆虫採りにむかって行ってそれが彼等の人生をつくって行くのであることに気付いた、そのことへの「気恥ずかしさ」と読むことから入っていきましたが、少女たち、幼女たちが遊ぶ、れんげ草の敷物の場所の中心にあるのが、(ボーイスカウトの)団丈と呼ばれる武技のための杖であるとともに、日章旗=海軍旗であったらしいことに、幼い詩人の心は名状しがたい「気恥ずかしさ」を覚えたようだ、……と解釈は、移って行きました。解釈が移って行くときに、幼い軍楽が耳にとどいたことを覚えています。

さて、そこからこのご質問で、はじめて考えてみることとなのですが、わたくし自身、直観で捉えました、詩にむかうときだけに引かれる、吉本さんの罫線……わたくしは、これを「根源乃手」と名付けていましたが、いま、「日時計」の草々の線条、幼い眼に、幻視されているでしょう、日輪の筋をわたくしもまた幻視しつつ、考えていますと、わたくしの心にさえも、「気恥ずかしさ」が、所在なげに、……行きどころなし、ボーと浮かんで来ていました。

「日時計」を描かず、草の杖も立てずに、幻視もせずに、世界と向かい合うこと。おそらく、これが、詩人吉本隆明氏の「根源乃手」がした、決心ともいえるのではないでしょうか。

22 「戦後詩」の世界で、評論の分野での巨人を吉本隆明さんだとすると、詩の実作の分野では、吉岡実さんが「恒星」の位置にある、つまり最大の存在だとされていますが、吉増さんのなかで「戦後詩」というものの世界を、その呼称を含めてどのように考えられていますか？ 「課題としての『戦後』という問題」とも仰っています。

少し別の方角から考えてみます。

いつでしたか、これは「放言」であるのだということを覚悟して、「萩原朔太郎の死

（一九四二年＝昭和十七年）をもって詩は死んだのだ」と発言をしたことがありましたが、いま、この問に直面して、「詩は死んだ」を「詩は沈黙したのだ」にいい替えてみたい気持になっておりました。吉本隆明氏も吉岡実氏も、その魂の奥底に、「沈黙」を蔵していたと、わたくしはいい切りたいと思います。この「沈黙」は、「普遍」とも「抽象」とも異なっていて、むしろ、「純粋言語」への、あるいは「普遍」への途方もない難路として、考えられていたのだとわたくしは思います。

これも、もう少し別の方角からの思考で、じつに奇妙ないい方なのです、わたくしは戦争そのものの子なのです。「子」を存在と替えることも出来るのだと思います。そしてこれは、こんなにもいい難いことをこそ、「詩」として書かれようとしたらしい、「表現にならない表現」、「沈黙にならない叫び」のようなものは、……と考えていまして、まさか、若き日の詩作の断片を引用するところにまで、わたくしはこうして追い込まれたのだと思います。

「別の方角から」、「別の方角から」と繰りかえし語りながら、「詩に向けて書かれようとしたらしい断片」に、「戦後というもののかがやきと無の痕跡」があるのかも知れないのです。

まさか、こんな応答になろうとはと恥じ入りつつ、わたくしの作の、どこをさがして

も、こんな痕跡はみつかるのでしょう、ある傷跡の一例として、

アア　コレワ
なんという、薄紅色の掌にころがる水滴
珈琲皿に映ル乳房ヨ！
転落デキナイヨー！
剣の上をツッッと走ったが、消えないぞ世界！

（「朝狂って」一九六六年）

23　カフカにおいての「生存の痛苦」について語っていただいたわけですが、吉岡実の詩が体現したのが、カフカの「痛苦」に近い、と仰る、そのあたりをもう少し具体的に説明いただけますか？

ふと、吉岡実氏の『うまやはし日記』というご本のことが浮かんで来ていました。カフカを読むときに、彼の実際の生涯はどうだったかと考えつづけていることに気がついたからです。芸術作品としての「作品」を残すだけではない、そう、もう少し外の別の世界を垣間見たいという、なんでしょうね、これも稀らしいような初めての心が生まれてきていたのですね。「作品」と「生活」の間にあるらしい、名状しがたい「切断線」を、それを

「痛苦」といってみたのだと思います。

24 アドルノの「アウシュヴィッツの後に詩を書くことは野蛮である」という言葉に強く結びつくと思いますが、パウル・ツェランにおける「痛苦」の問題、これについても言及されましたが、もう少し詳しくうかがえますか？

ディラン・トマスの「爆発的なエロス」について問われましたときに、「濁声」の一言でお答えをいたしましたときのことを想い起こしておりました。パウル・ツェランの声については、浅田彰（あさだあきら）さんに、深く、ツェランの声の核にとどく分析がありましたことを思いだします。パウル・ツェランの声に接しましたときの、怖れのようなものをともなった戦慄は、怯えと震えと願いが、綯（な）われ、紡がれるときの心の指先が、そのまま伝えられることになって、その場所にわたくしたちも佇んでいて、もう、そこからは逃れることは不可能だ、……という、知命的なものでした。態（わざ）と、いま、知命的と、言語を誤用していました。

「アウシュヴィッツの声」を聞いたのだと思います。したがいまして、アドルノの箴言とは無縁のところにある声の、ツェランは「途上」の存在であったのです。

25 「速度」のところで、李白の詩に触れて、「遅い」も「小さい」も含めての速度が強く感じられる、というお話はとても興味深いのですが、もう少し詳しくうかがえますか？

折角、こんなことを聞いて下さいましたので、これは、少し「幻視に近づいてきたような」答えかたですが、……。

ながいこと、ほとんど戦友のようにして、「書くこと」についてともに考え続けて来ました石川九楊氏から学んだことですが、書の巨星であった副島種臣は、「できうるかぎり遅く書け」と教えたそうです。面白いことです。しばらく、副島のそのときの心は、……と考えていますと、そこに、ウィリアム・カーロス・ウィリアムズの「できるだけぞんざいに書け」（堀内正規氏訳）や、さらに良寛さんの「天上大風」を想ったときの「心の粒子のようなもの」が浮かんで来ます。きっと「心の粒子の程＝度合い」が、幽かに、少しずつ変化して行くのがこの宇宙だといいたいようです。

あるいは王羲之の書の、どこまでも、宇宙の涯までも、遅くもなく、早くもなく、のびて行くような、手にまで、想像が及びます。

26　第四章で、これは吉増さんにしては珍しい、石原吉郎さんについての言及があって驚いたのですが、偶然とはいえ、石原さん生前最後の講演が吉増さんの詩に触れたものだったのですね。石原吉郎の詩というのを吉増さんはどう読まれたのでしょうか？

石原吉郎さんのお声を想像しながら、その苛酷で、おそらく誰にも語ることの叶わなかったであろうことに、僅かにでも触れてみようと、気が付きますと、石原吉郎さんの詩篇の心読をはじめていました。五十年振りの再読といってもよいでしょう。『石原吉郎詩集』（現代詩文庫26）、『続・石原吉郎詩集』（現代詩文庫120）、と。そうしておりましたときに、これは「序」のところで不図出逢いました〝白い煙〟か〝白い雲のようなもの〟にも似たことだったのかも知れないのですが、何処か遠い、空の奥の方からなのでしょうか、

キヲツケ！

と、なにか重い鉄のような声が響いてきたのです。いまそれを「カタカナ」で記しましたが、それは決して〝気を付け！〟あるいは〝気を付け！ attention!〟さらにドイツ語、ロシア語、エスペラント語……（この三つとも石原吉郎氏の脳裏にいつも響いていた言語）との襲ねあわせばかりではない、これは思い切ったかなり奇怪な喩ですけれども、誕生以前に胎内で聞いた怒号のように聞こえて来ていた、……といえば、少しわたくしのしました驚きは伝えられるのだと思います。

そうして、こうした聞き方は、この『詩とは何か』の手入れを、心血をそそぐようにしていましたとともに、おそらくわたくし最後の詩集『Ｖｏｉｘ』（思潮社、二〇二一年十月刊）にも心を籠めていて、知らず知らずに、作曲をするような心が、生まれていたことに

も由来をしているのかも知れないのです（この本、前著の『我が詩的自伝』をつくる過程で、本書の編集者、山崎比呂志氏を通じて親交となりましたヴァレリー・アファナシエフ氏の弾きますベートーヴェンのピアノソナタ、Piano Sonata No.32 in c minor, op 111を聞きながらが、この二書の手入れをしたときの日課となっていたのですが、……）。わたくしたちの言語野あるいは、想像界の拡がりは、もはや、未知未聞の境地にも入って来ているのであって、本書のディラン・トマスのところで、あるいはルイ・アームストロングに触れて申しました「濁声」もまた、「記憶の未来」あるいは「来るべき境界」のしるしであったのかも知れないと思われて来ておりました。

といたしますと、この本のなかでいわば玉条（美しい枝、……）のようにして引いておりました、ジョン・キーツの〝聞こえない音楽を聞く〟は、わたくしたちは、もう、その境地にすでに入ってきている、あるいはもう越えてもいるのだといえるのです。

こうして、石原吉郎氏の伝えようとしているのでもない、暗示をしようとしているのでもおそらくない、こんな詩をまえにして、こうして幼時にも聞いた覚えのない、〝重い鉄の言葉〟が、降り下りて来ていました。

石原さんの詩はたとえば、

位置

しずかな肩には
声だけがならぶのでない
声よりも近く
敵がならぶのだ
（……）

事実

そこにあるものは
そこにそうして
あるものだ
見ろ
手がある
足がある

うすわらいさえしている

（……）

またもや奇怪な喩で申し訳ないのですが、「詩」としかいいようのないこれらの言葉は、まるで、鉄の内部で鉄と錆が話をしているように聞こえます。わたくしなりに、本書のなかではじめて僅かながら筐のようにして、石原吉郎氏に、語り掛けるようにして、次の報告reportをいたしておきます。

こんな出逢いがありました。これも本書『詩とは何か』のなかでのことでした。二〇二一年の八月のことでしたが、Manchesterでありました、アート・フェスティバルの名称が「Poet Slash Artist」（2021.July2～August30）と表記されていました、その〝(切り付けるSlash)〟と態々の「表記」に、コンピュータ難民の、……あるいはかえって「難民」であるからこそ、その力にすっかり驚いてしまっていて、親友の小林康夫氏からの注文の雑誌の詩篇を次のように書き初めておりました。

聳えたつイの樹木の君よ！　Slash石巻のあたらしい
踏切りの棹には幽かにSlashしかし香りのようにたし

かにSlash(スラッシュ)〝たしか〟を考へている思考の〝アサ。ミル〟の
縁(ふち)のひかりがSlash(スラッシュ)別乾坤(ベチケンコン)の明(アカ)しであったSlash(スラッシュ)
〝ミチ〟は、舌(シタ)の鄙(ヒナ)どナリ、Slash(スラッシュ)イの樹木(き)の君よ!

さらに〝報告report〟の追記をいたしますと、本書と詩集『Ｖｏｉｘ(ヴォワ)』の生成は、大きな被害を受けました、そう〝地(ヂ)の声〟とも関連をいたしておりました。二〇二一年のあれは八月二十五日のある晴れた日のことでした。石巻駅近くの小川町踏切り(おがわちょうふみきり)に独りいて、cinecameraの瞳の声なのかと聞くようにして、初めて、その瞳(ひとみ)が、踏切り(ふみきり)の棹(さお)に添(そ)うようにして、その言葉が聞こえるというよりも、〝副(そ)うように高くあがる〟を感じとっていたのです。本書の「序」で申しました、それはあの〝白い煙、……〟であったのかも知れません。この石巻駅近くの小川町踏切り(ふみきり)は、石巻駅から、渡波(わたのは)、女川(おながわ)の方を向いているのです。いま、わたくしは、わたくしの中のもっとも弱い、幽かな心の指差すのに従ったかのように〝向いている〟と綴っていました。

こうして僅かにですが、書くことの叶わなかったことが、〝白い煙、……〟のように、書けるようになって来ているのです。これは、知力や想像力を越えた、……別の言語の到来の扉なのかも知れません。

そうそう、三年、五年、十年の苦闘を経まして、この『詩とは何か』は、貧しい、乏しい、杣道（そまみち）を歩きはじめていました。

急いで、〝Slash（スラッシュ）〟の齎（もたら）しました、別乾坤（べちけんこん）からの声に驚きを。これはYou Tube（吉成秀夫、コトニ社後藤亨真氏発信）二〇二一年八月十九日公開の画像の撮影をいたしておりましたときの驚愕のメモ。先程引用の個処を〝Slash（スラッシュ）〟を、激しく読み上げておりましたそのとき、何処からか声が、……〝おまえが六〇年代に頻発して、識者から顰蹙（ひんしゅく）を買った、おまえの〝Exclamation（感嘆詞）〟ではないか〟と。

石原吉郎さんに戻ります。石原吉郎氏はいわれていました。〝十ぺん読むんだね。〈空に魔子一千行を書く〉が一回一回ちがうんですよ〟と。この〝一回一回ちがう〟を、〝一人一人がちがうんですよ〟という声とも、宇宙の亀裂とも、その亀裂の小声の未来とも言えるのだ、……そんなところにも辿り着いておりました。

そして、おそらく、「朗読」のために五十年以上、おそらく百回を越えて音声化をして来ていますこの詩篇を、石原吉郎氏のこの声とお聞きになられているのであろうお心の状態を想像しながら「古代天文台」を読み返すということをしてみました。こんなことは初めてでした。

すると、本書でも、たびたび申しました「記憶の未来」が、こんな喩をつかうことも許されるでしょうか、「隠れていた本能のように」顕ち上がっていることにも気が付いていました。そうして、こんな一行にさしかかりましたとき、作者として読むときとは別の戦慄がたしかに走っておりました。作者も、その詩行が立った書いた刹那のそのときに戻ったのでしょうか。

　死体のように正座する、一行の人名に触れる！

とともに、このときの刹那とともに、記憶の大切な個処がうごきはじめていることに気が付いてもいました。この詩を書きましたとき、作者は、石原吉郎氏を心読していたことが、燭龍の瞳のようにして蘇生していました。作者は心の何処かでそれを隠そうとしていたのです。とうとう、半世紀を経て、「詩」の秘密の火が、手わたされた、そんな場面に、いま、本書は遭遇しています。さらに、蛇足か迷言のようにと、言い訳をしながら、もしかしましたら、『Voix』の詩中に立つようにして来ていました〝イの樹木の君が立って来ていた〟の〝イの君〟は、石原吉郎氏の俤でもあったらしいのです。そして何処からか、〝詩は万人のものであり、無名のものでもあるのだ〟という別の声もまた、下りて来ていました。

27　さらに「速度」に関してですが、「カフカのしぐさはまさに全力疾走なのです」、というくだりを具体的にお話しいただけますか？

どなたもが、創作をされる方なら、この「全力疾走」を経験されたことがある筈です。理想をいいますと、「極限的な静けさのなかにあっての全力疾走」なのでしょう。「全力疾走」は「一気呵成」ということも出来て、『判決』や本書で触れました「アメリカ・インディアンになりたい望み」などが典型的なものなのですが、突然の「世界の裂開」といったらよいのでしょうか、カフカ自身のこんな言葉も参考になるかも知れません。「僕の生は、誕生を前にしたためらいなのだ」と。この「ためらい＝逡巡、躊躇」が、「全力疾走」と衝突する、「創作」によって、

ある朝のこと、落ちつけぬまどろみの夢からさめたとき、グレゴール・ザムザは寝床のなかで一匹のばかでかい毒虫に変わった自分に気がついた。

（『変身』冒頭、旺文社文庫、七頁）

うん、この「ばかでかい」が、何かのしるしですね。カフカの心のしるし、しぐさなのかも知れません。

28 「ノイズ」のくだりのお話もとても興味深く、また吉増さんはその重要さをジャズを通して受容された、ということも説得的です。ですから、ディラン・トマスやアレン・ギンズバーグの詩に「ノイズ」を感じて惹かれる、というところもよくわかるのですが、エミリー・ディキンソンにも「ノイズ」が聞こえるのでしょうか、ここをお話しいただけますか？

「ノイズ」は「雑音」と訳されますよね。傍点を振りましたこの「雑」に魅かれ続けて来て、それが何故なのか判らずに、八十数年を過ごしてしまったような気がいたしますが、この質問状の2で聞いて下さいましたことによって、そして、二〇二二年の夏ころには、おそらく『雑神(ぞふしん)／雑神(ざつしん)』（ルビと、スラッシュにするのか「点」になるのかは、揺れているのですが、……）という題名を持つでしょうエッセイ集の刊行の目処も立ち、決心もつきました。かつて、太古から、生き生きと、どの国にもどの地域にも存在していた、妖精のような神たちのことです。

例えば出典とした柳田國男さんをかりますと、「ウスツキッコ」（杵臼(きねうす)を搗(つ)くときにそこにいる子＝妖精）こうした『遠野物語』や「妖怪」以前の存在を、おそらく、「しまった！」と柳田さんはいってみて後悔されたことでしょう、……それを「雑神」といわれたことがあって、……わたくしはそのヴィジョンを五十年程あたためて来ていました。

「神」といわずに「雑在」とか「雑存」といってもよい、この宇宙の幽かで朧（おぼろ）な境域に顕（た）って来るものへの愛なのです。それが「ノイズ」です。それだからこそ、その底に一条の流水のような、泉のような、「純粋」も想像が出来るのです。ですから、問22で触れました「沈黙」は、おそらく、この「雑神」の化身でしょう。どうぞ、概念化されないで、もっと掠（かす）れた方へと、幽かな、朧な、……度合いを、程（ほど）を、瞬時に変えて行っているらしい、隠れた宇宙の次元のことへと、どうぞお心を「雑」にもとづく「自由詩」、……これが、戦後の光明のひとつなのです、……というところにまで、来ていました。

　カフカにつなげていいますと、この「ノイズ」こそが「外」のしるしなのですね。

　エミリーの「ノイズ」は、ハイフン、ダッシュのすぐ傍（そば）にあるのです。

29　ピアニストのアファナシエフが、モーツァルトが自分の音楽にハーモニーがあるのを見つけた話を引いて、そのハーモニーには歪（ゆが）みが必要なんだ、と言ったそうですが、吉増さんご自身は、歪みをふくむハーモニー、というものをどういうものとイメージされますか？　あるいは、「本物のハーモニー」とはどういうものと考えますか？

　ハイ。このモーツァルトのしぐさ、姿が奇蹟的ですよね。モーツァルトが自らを他者のように聞いている。そして、きっと、自らが思い描いた世界のむこう（彼岸のように、遥かな、……）が、そこに感じられて、そのむこうからの声として「ハーモニー」と、聞いたのでしょう。そして、アファナシエフの弾くモーツァルトには、そのむこうの手触り、刹那の程あいのようなものを、タッチに変える力があって、その力を、「歪み」といったのではないでしょうか。それにしても「touch（タッチ）」とは、怖るべきものです。鵲、病雁、そこら辺の雀たちか、オリヴィエ・メシアン氏に、聞いてみたい。おそらく「本物のハーモニー」は、「純粋言語」にも似ています。しかも「外」に接していて、「外」の傍にあって、ですから、そこに「歪み」の感じが、あるいは僅かな「白い揺れ」のようなものが感じられている筈なのです。

30　二〇〇四年の『ごろごろ』や二〇〇五年の『天上ノ蛇、紫のハナ』で集中的に使われた手法が割注でした。この割注と、ICレコーダーに向かってひとりの語りを吹き込む「音声録音」とが似ている、と仰っていますが、どういう点が似ているのでしょうか？

次のご質問の「盲目性」ということとも関係がありますが、縁や機会に恵まれていたならば、わたくしも「銅版画家」になれたのかも知れない、……という思いが、さっと、過りますが、その途端に、そうか、「職業」あるいは「職業性」を忌避する心があるな、……でも「徴兵忌避」という場面には遭遇しなかったではないか、……。

ほとんど読むことが叶わない文字を書いていますときの、……そう別乾坤は、これはたとえようのないもので、気がついてみると、これ以上は考えられないほどに、正直に書けているのです。括弧の洞窟のなかで小動物が踊っている、……こんな喩で、説明にかえさせて下さい。時が経て、いまは、この「割注」多用からは離れてしまってはいるのですが、それを惜しむ心が確実に存在していて、それが、「Ciné」や「memo」、……次なる表現、……「手法」とはとてもいえない、……に、掠れるように、移行して来ているようです。おそらく、その「掠れ」るような移行との途上が、間断なく、言語表現に影響を及ぼしている筈なのです。

「音声録音」、これは、間違いなく「朗読」ということと関係があります。一九六〇年の後半から、正確には、一九七〇年のはじめに、新宿ピットインの二階で、山崎弘氏のグループとともに「古代天文台」の「朗読」をしました。つづいて、初めてのアメリカで「燃える」、「朝狂って」、「燃えるモーツァルトの手を」、「古代天文台」という順にでした。いずれも「ジャズ」と「アメリカ」が介在をしています。孤獨で自閉症気味の若い詩を書く男が、不意の要請によって、口を開かせられたとき、「内的言語」＋αが、出現をして「朗読」をしている当人もまた驚愕をするという事態が起きていました。いまでも、その「驚愕」をたしかめようとするこころみは持続をしています。「文語」に対する「口語」あるいは「口上性」といってみたこともありましたが、あるいは「声のエクリチュール」とも。本書も、「本書」成立の過程も、その試みの一環なのです。

31 「眼を閉ざす」の項目で、眼をつぶっての録音のことに触れていますが、吉増さんはよくアイマスクを着けて「怪物君」のドローイングやドリッピングを実践されます。「見ないから、頭の中に思考が浮かんでくる」と仰っていますが、盲目性はどうして創造力を生むのか、もう少し説明いただけますか？

見ていますと、その都度の判断と反応が、……その都度の判断と反応によって表現が成立して行くことがよく判ります。

「眼を閉ざす」と、その「判断」と「反応」が、止まります。「未知」が「未来」が「将来」が、……あえて「沈黙」といいますが、そのときのまえに、……というよりも、そのときのなかに、立つのですね、この「現在」をとらえようとしているらしい。勿論、その「未知」に、常に驚くということが、そうしたことをさせるのでしょうが、……。

道元が「有時（うじ）」でいいます「而今（にこん）（たった今だ！）」に近いことに、限りなく接近しようとしているのでしょうか。

32 「点を打つ」という項目で、「点を打つことが僕の書くことの原点」というふうに仰っていますが、実際、若林奮さんが造った鏨とハンマーで、銅板に文字を打つ、というパフォーマンスを続けておられます。また朗読の舞台で、ハンマーを握って朗読のためのテキストである詩集を叩いたりも。そうした「打つ」「叩く」という行為と「書く」という行

為が、吉増さんのなかでどう結びつくか、詳しくうかがえますか？

この「問」のまえに、しばらく、佇んでいました。「打つ」とは、なんという根源的な行為でしょうか。ヒトが、直立をして、「手」が顕れて以来わたくしたちは、この驚きのまえに佇みつづけているような気がいたします。

33　吉本隆明の言葉に共感されながら、「書くことが何もないからこそ書く」と仰っていますが、そのことは、さきほどの「打つ」「叩く」という行為と結びつくのではありませんか？

そのとおりです。

吉本さんの「根源乃手」が働いているところ。

普遍、太古、万人。

34　「括弧つきの『読者』というのはいわば制度というか決まりみたいなこと」と仰っていますが、そこをもう少し詳しく説明していただけますか？

「詩集」、「歌集」を、買って下さる方は、古今東西、を問わず、おそらく、二百、三百、多くて五百、……その方々を「読者」と言えますすか？

35　「僕がものすごく大事にしている『瞬間』が、自分で自分のもののコピーをとってる瞬間なのです」と仰っていますが、ご自分が書かれたもののコピーをとることの大事さ、

というところをわかりやすく説明いただけますか?

別の角度から、最近の経験(二〇二一年三月二十七日Eテレ、佐野元春氏との「SWITCHインタビュー　達人達」でのこと)から、ご説明してみます。「コピー」を、「反復」、「写し」とも言い替えることも出来るのですが、その「瞬間」に、「精神が変化しているな」、「心がうごいているな」とはっきりと認識できたときがありました。

こんなプロセスでした。

古い詩篇(一九六八年の「燃えるモーツァルトの手を」)を朗読することにして、その発声のときの意識の微妙な変化をはっきりと認めて、それが発声にもあらわれて来ていたのです。おそらくその刹那に、あッ、こいつの心が二重三重になって来て、その折り重なりを、不揃いと差異を、こうして発語し得ているのだなという感嘆の心もそこにはありました。

「写し」の「瞬間」とは、じつに朧ろで、美しい、ほとんど、すぐ傍(そば)の「他界」にも似ているのです。

36　詩と死の関わりについては、マラルメやブランショの思想にも表れますが、吉増さんが仰る「年がら年中、非常に細かく間断なく、『死』と無意識の素(す)の中でつき合ってる、そしてその状態が、とても深くなってきている」ということの意味をさらに説明いただけますか?

この思い掛けない、稀らしい「質問集」と、出逢うことによって、おそらく、ほぼ五年六年と『我が詩的自伝』以来三人で苦労をして来ました本書も成立することでしょうし、この「ご質問＝応答」の過程で、「雑音、雑神、ノイズ」、「外、全力疾走、躊躇」そして、不図、書きはじめました「純粋言語」がわたくしたちが心の底で祈るように希んでいるらしい「生命なしに生きること」（エミリー）、「外」の宇宙と接する「創造」の境域に、ほんの少しだけですが、接近することが叶いましたようです。目標というか、その「しるし」のような一行にも。山崎比呂志、林浩平氏に心から感謝を申しあげるとともに、「詩」に敬意を表して、「エドガー・ポーの墓」という詩篇のマラルメの次の詩行を掲げようと思います。

混沌たる　宇宙の　壊滅から　地上に墜ちた　身じろぎもせぬ　塊、
この花崗岩が　せめて永久に　その境界を　画すべしと（……）
（渡辺守章訳、岩波文庫、一三三頁）

37「ポエジーと言ってはいけない」とか「詩はないんだ」とか仰ったのですが、それはエドガー・アラン・ポー以来、ボードレールを経由して現在にいたるポエジー、つまり言語の美としての詩の歴史を引き受けられたうえでの「ポエジー」否定ということなのでし

ようか？

うん。「否定」、……ともいえますね。マラルメの引用一行目の「塊」が、一瞬、わたくしの眼に、「無」とみえたのは、どうしてだったのでしょうか。おそらくこれは「外」からの声で、もはや「純粋言語」からの声でもなく、宇宙壊滅からの声であったのだと思います。

38　それでは、最後の一つ前の質問ですが、現代の詩、あるいは芸術における「美」の位置、伝統的な「美」（例えば抒情詩、あるいは極論すればラファエロの絵画におけるようなもの）は、現代の詩あるいは芸術においても、何らかの位置を要求することができるのでしょうか。

このご質問のまえにしばらく佇むように、普遍的なるもの、抽象、必然、客観性と思考をめぐらせていて、次の最後の「問」のことも念頭にあって、二人の死に、わたくしの思考は辿り着いていました。あるいは、このお二人の死こそが、戦後日本の芸術と思想の結節点だったのだという、啓示のようなものがわたくしを襲ったのかも知れませんでした。土方巽（ひじかたたつみ）（一九二八～一九八六）と吉本隆明（一九二四～二〇一二）。その〝啓示のようなもの〟のご説明をしつつ、そのときに覚えたらしい〝驚き〟の根が、ご質問の「美」と遠く、結びついていたのかも知れなかった。わたくしは一心に書物を編んでいました。一冊の書物を書きあげるようにと深いところから声がしていました。土方巽のばあいにも吉本隆明氏の場合にも。前者は、歳月も経過をしているのですが、後者の場合には、亡くなられたのが、大厄災後一年の二〇一二年の三月であったのですから、今もなお、依然として、……という囁く声とともに、あるいは本書『詩とは何か』さえも、その〝書物を編む〟ことの輪のなかに、……という少し怖いような小声も聞こえて来ております。

ここでは、この質問にかかわって、「舞踏」というよりも、〝身体芸術〟あるいは〝身体〟の核、根源に触れていた土方巽について考えてみます。不思議なというべきか奇妙なというべきか、〝驚きは〟、土方巽の〝声〟あるいは〝声の舞踏〟さらにいえば〝言葉の舞踏〟から来ていた。香典返しにいただいたLPレコードをわたくしは、気がつくと、一心に書写するという仕業（しわざ）に入っていました。旅にもまた、海外へも、その声を携えての旅となっていった。「〽トッテモ、淋シクテネ、ワタシ、じゅーすバカリノンデルデショウ、……」と。これは、不思議な道行きであった、……とともに、極めて現代的な、〝心の類似のつくり方〟、……いまわたくしも表現に困惑をして〝心の類似のつくり方〟といってみました。当たっていないことはないのです。そして、もうひとつ、急いで指摘をしなけ

＊土方巽（一九二八～一九八六）――舞踏家。「暗黒舞踏」と称して、前衛舞踏の様式を確立させた。多くの詩人や文学者らにも強い影響を与える。上演作品に『土方巽と日本人――肉体の叛乱』、『東北歌舞伎計画』など。著書に『病める舞姫』など。吉増が語りの音声を起こしたのは『慈悲心鳥がバサバサと骨の羽を拡げてくる』（書肆山田）として刊行された。

ればならないのは、この土方巽の遺言とも言える声は、映画『風の風景』(一九八八年)のサウンド・トラックからのものであったことなのです。ここで、ご質問の「芸術における『美』の位置」という問に触れることになります。土方巽の身体の命や核は、必ずしも舞台上だけにあったわけではない。その命や核の多様性、……という言葉では当たらない、造語してみると、おそらくその「複式性」にあるのではないだろうか。それが、〝書物を編む〟ということを生みだし、わたくしのしたような〝声の道行き〟を促すことになりました。

忘れ難いシーンがあった。舞踏の記念の会(一九八五年二月九日)、たしか朝日ホールでした。講演に立った土方巽の演題は「衰弱体の採集」でした。いま〝採集〟を、態(わざ)と〝蒐集〟と綴ってみて、土方の身体性にもこの〝蒐集性〟があったことにも気づいている。〝風邪で調子が、……〟といわれながらの土方も忘れ難いのだが、むしろ、さらに〝複式、……〟の像にこそ、〝あたらしさ〟があったことにも気がついています。かつてのアートシアター新宿文化での記念碑的な舞台(『四季のための二十七晩』、一九七二年)、わたくしも幾度か通って感銘は残ってはいるのだが、感動の芯のところは別にあった。それは舞台を撮った記録映像で、客席からは決して見ることの叶わない細部と繊細の表現を繰り返しみるうちに、……ここに、おそらく、美、醜を越えた、〝醜〟に接しつつ、それも越えたところに〝美〟があったのだ、……と。このことは、土方巽も想像もしなかったことであったろうし、わたくしもまた、〝一心に書物を編む〟ことを通して、垣間見ることが出来たものであったのです。

39　さて、いよいよ最後の質問です。六十年間の長きにわたって詩人の「根源乃手」が探しつづけてきたものとは結局、何だったのでしょうか？

この問を前にしばらく、門前に佇む小僧の心地して考えていました。考えられていたのは〝初心〟だったのかも知れません。あるいはその〝初め〟であったのかも知れません。いまは、調べないで覚えで書いていますが、カフカは〝僕ははじまりであるか終末である〟と不図（ふと）、言ったことがあって、そのカフカの心地の一端が、幽かにわかる気がいたしますのは、わたくしの弱年のキリスト経験であったのかも知れません。

そう、この〝初め〟の姿と形は、どんなものだったのでしょうか。この問を前にしたとき、所謂、哲学も学問も芸術も、宗教さえも、同じ門前に立たされることになり、そして詩は、その芯に近いところにあるのです。こうしたいい方は、……〝芯〟というものは、極限的に朧（おぼろ）なものだという考えの結果なのです。

言語は、現実世界とわたしたちとのあいだで故郷をもたない放浪者ににている。

（吉本隆明（『言語にとって美とはなにか　I』角川ソフィア文庫、一五〇頁）

この「放浪者」を、わたくしがいま申しました〝極限的な朧なるもの〟へと、膨張－拡大解釈して、ヴィジョンをひろげてみることも可能なのです。

そうして、「このQ＆A集」のなかの石原吉郎氏のところでも触れたことでしたが、本書の編集者の山崎比呂志氏に導かれてこのところ全身を耳にするようにして聞いておりますベートーヴェンのピアノソナタNo. 32 in c minor, op.111、ピアノ、ヴァレリー・アファナシエフの、例えばテーマの終わりのところ、あるいは楽章の終わりが気になって、……おそらく、〝楽章の終わり際を気にしていたらしい〟、〝ベートーヴェンの心らしいもの〟が気になって、音楽に耳を澄ましていることがありました。不動のものが動きだすとき、……〝消え入りそうな坂道のようなところが、たしかにそこには存在していて、……〟不図そんな不可知の、不在のひとときがおとずれて来ています。作曲はおそらく「詩」を書くことに近い。不可能はそのままに、……不可知はそのままに、……という声も何処からか聞こえて来ています。

〝不可能は不可能なままに〟〝混乱は混乱のままに〟という声を聞きつつ、しかしこのベートーヴェンのように、「形式」といってはいけないのかもしれない〝かたち〟〝秩序〟との接触につねに気を遣いつつの、歳月(としつき)、……六十年だったのかも知れません。

前のご質問の続きのようにして、あるいはカフカのいうことに反して、〃永遠の誕生状態〃にあるのかも知れないこの書物＝『詩とは何か』のささやかな栞(しおり)として、カフカの日記のなかの次の個所を引きます。引用は吉本隆明氏「舞踏論」（『ハイ・イメージ論Ⅲ』ちくま学芸文庫、二二三―二二四頁）より。

『判決』の校正刷を見る機会に、この物語のなかではっきりしてきたすべての関係を、忘れないで覚えている分だけは書きとめておくことにする。これは必要なことだ。なぜなら、この物語はまるで本物の誕生のように脂や粘液で蔽われてぼくのなかから生れてきたものであり、ぼくだけがその身体に届くことのできる、またそうするいい気のある手をもっているからだ。

（カフカ『日記』谷口茂訳、傍点引用者）

これこそが〃根源乃手〃なのです、と申していますロの傍(かたわら)から、もう一つ濁声(だみごえ)が語り掛けます。その〃手〃こそが、無数の光の手なのだともいえるのではないかと。あるいは無数のとき、の、て、（〝時の手〟）ともいえるのではないかと。そして、驚きつつ、この手は書いているのですが、こうして、『詩とは何か』の終章に際して、わたくしはとても苦手でした、中原中也をここで詠うようにして読むことになろうとは！

風が立ち、浪（なみ）が騒ぎ、
　無限の前に腕を振る。

（中原中也「盲目の秋」）

ありがとうございました。

おわりに――記憶の未来について

ジャズと即興ということ

想起する、想い出すということよりも、そうしようとすることの「道筋」には、膨らみがあり、そしてどうやら語り尽くすことの出来ないものでしょう、おそらく「未知」がここにはあって、いまから「ジャズと即興ということ」について、縷々、……絶えることなく語ってゆくつもりなのですが、これは語義が矛盾したいいかたでしょう「記憶の未来」という言葉が浮かんで来ていました。

一九五〇年代のおわりから一九六〇年代にかけて、渋谷、新宿、吉祥寺の「ジャズ喫茶」の片隅の机に俯せになって、これ以上にないような真面目な空気を、身に纏うようにと、心懸けて、……いま、ここを想い出そうとして、不図、浮かんで来る、香りとも空気ともいえない「名付けられない音楽」、それが「ジャズ」、「モダンジャズ」だったのです。

ですから、表現に困惑をして、「記憶の未来」といってしまいましたことは、おそらく一九六〇年代、いまから約六十年程前にも「だんも＝モダンの逆さ言葉」は、「革命精神」の核のようなものとして、無意識に密かに摑まれていた筈なのです。

一息に、「モダンジャズ」の核心に近いところにまで届いてしまいましたのは、おそらく「逆さま言葉のだんも」を想い出したあたりだった、……。ここから、「現代詩」は、一息につながります、少なくともわたくしの場合には。精神が一息につながる、……といってもよいのだと思います。さらにそれは、ディラン・トマスの声にふれていいました「濁声」に通ずるものであったのかも知れません。セロニアス・モンク、マイルス・デイヴィス、ジョン・コルトレーンによる「新しい音楽（アヴァンギャルド）」と、「即興演奏（インプロヴィゼーション）」の革命の精神は、いまわたくし自身の感受性の底辺や遺伝子に、密に、ぎっしりと、根を下ろしているのであって、ほとんど信念、……というよりも、「感受性の根と核」に近いものになっていることを読みとることが出来るのです。

少し、具体的に歳月を追って参りたいと思いますが、この機会に参考にと思いまして、『コルトレーン——ジャズの殉教者』（藤岡靖洋著、岩波新書）を繙いていまして、コルトレーンの死が一九六七年七月、享年四十歳であったことを知り、刹那に頭を下げているらしい誰かの存在に気がついていました。誰かの一人は確実にわたくしだったのです。同書の扉に舞台のコルトレーンの姿が掲載されていて、「渾身の力を振り絞り、前傾姿勢で激しくテナーサックスを吹くジョン・コルトレーン」と説明がされていて、この刹那にも、この

「精神」と「身体」が、少なくともわたくしの「精神」と「身体」に移り住んでいて、その、……そうでした、小文の書き初めに「語義矛盾だが、……」といいつつ敢えて記しました、「記憶の未来」は、この六〇年代の「精神」と「身体」の持続を、いい当てていた言葉であったことに、今ここで気が付いたことになります。そしてこのコルトレーンの残した曲を、いまあらためて聞き返していて、『ブルー・トレイン』、『ジャイアント・ステップス』に続いています『至上の愛』（一九六四年）は、おそらく、この時代の純粋な扉という比喩を使いたくなります、間然するところのない傑作だと思われました。

渾身の力を振り絞り，前傾姿勢で激しくテナーサックスを吹くジョン・コルトレーン．“地球の平和”という曲を広島，長崎でも熱演した1966年夏．撮影：有原隆，サインパネル提供：木村五郎

『コルトレーン』（藤岡靖洋著、岩波新書）より

「記憶の未来」といいましたが、おそらく、数年の時差で六〇年代に聞きましたときには感じられなかった「未来」が、たった今、只今いまここで感じられるのです。おそらく、貧しい感受性のわたくしの何処か隠れたと

ころに、「これがはっきりと聞こえるであろう直観」は、厳然と存在をしていたらしく、その裂断の如きものを跳び越えたときの言葉であったらしいのです。そして我々は、驚くべきことに、未知の未来の幽かなうごき、働きを感知することが出来るらしいということにこうして気がつくことになります。これは、あるいは普遍の太古にまでとどくものであるのかも知れないのです。

おそらく、幕末の一代の画家、浦上玉堂が、武士であることをやめて楽器（七弦琴）づくりに、精魂をかたむけ、酒杯を手に、水墨画にむかったとき、「未知の幽かなうごき」の将来をたしかに感じとっていた筈なのです。陶淵明もそうでしたし、古アジアの文士たちには、脈々とこの叡知があって、そこに「楽器」があるのです。ジミ・ヘンドリクスのギターも、コルトレーンのサックスもそうでした。

こうして、「モダンジャズ」の革命性をあらためて辿りなおしていまして例えばマイルス・デイヴィスが「弱音器（ミュート）」をそなえることによって、「複雑化した、……」（奇妙な造語ですが）、「未知の音楽の言葉のゾーン」に這入り得たという奇蹟的な事例を考えつつ、そうかここには革命性と同時に普遍性があってと考えの細道を辿りますことによって、どうしてかわたくしの心が止みがたく魅かれます江戸時代の与謝蕪村の心もまた、苦しい生のなかで蕪村も蕪村なりの「弱音器」を、勿論それとは気付かずに発見し得ていたらしいことに、不図、気付く、そんな小径にもさしかかって居りました。たとえばこの蕪村さんは、ほとんど孤児でホームレスでした。

わが涙古くはあれど泉哉

われも死して碑に辺せむ枯尾花

この書物『詩とは何か』の主調音のようにして綴りました、蕪村さんの根源的な「遅さ」は、この「涙」の「辺」性に接しているものなのです。そうして蕪村さんはだれにも知られずに、ほとんど無意識にでしょう、マイルスにおける「弱音器」とほとんど同様の「心の口」を創りだしていたのです。

ひとつだけ、こんなしぐさ＝生のしるしをお伝えしておきますが、ご覧になって一目で判ります蕪村さんの線の、……線の滲みとも線の囁きとも形容をしてみたい、あの「くねりのようなもの」は、例えば池大雅などの鋭いものとは一線を画するもので、蕪村さんは夜鍋仕事のように、画筆の穂先を握りばさみで、その先端を削いでから、……そう、はさみで線描をまずしておいてから、そのしぐさを経たもので、これがおそらく蕪村さんの

「弱音器」なのです。

それは孤児性とこの世界への深い敬意と感謝から発している「へりくだり」の、途方もない心の距離が、蕪村さんの心中深くにはあるのだということなのです。

そしてこれが、不図（ふと）、書き付けました、この「心の口」が、そしてこの「へりくだり」が、あの「遅さ」を生みだし、そう「時間」をあたらしく生みだしています。

おそらく、アフリカの辺地で、あるいは南米のどこかで、初々しい魂たちはこの「俳（はい）」の精髄に、直観的に接しはじめている筈なのです。こうして考えて参りますと、もう「記憶の未来」といういい方ではとどかない「未知の、将来の普遍」に、ほんの少しずつ、わたくしたちはとどきはじめます。

おそらくそこに「詩」の辿ろうとしている「小径（こみち）」があるのだろうと思われます。たったいまの、この世のね。

そうしますと、巷間いわれます「六〇年代の詩人」といういい方は、ある意味では非常に正確で、天沢退二郎（あまざわたいじろう）、岡田隆彦、鈴木志郎康（すずきしろうやす）氏らの饒舌、過剰、日常性、出来事性（ハプニング）等々への集中は、おそらくは、このコルトレーンの「渾身の力」による「記憶の未来」への懸命の努力に通じていたのだと、いい切ることも出来るはずです。わたくしもそのひとりでした、……。

「わたくしもそのひとりでした、……」と怖ず怖ずと申しましたのですが、ここが小文の要点のひとつです。「本書＝『詩とは何か』」成立にむけて、思考のはじめてのところに歩を踏み入れていました、つまり、五十年、六十年、あるいは半世紀を費やしませんと、明らかになって来ない、そのとき、……六〇年代あるいは詩作に出発したときの若年のわたくしにとって「詩とは何であったか」の問にも直面することになるのです。それがおそらく、この書物を一貫して流れる「純粋言語」あるいは「根源」ということとも通底をしていました。「五十年、六十年の歳月」そして「怖ず怖ずと、……六十年を語る」と言うことを通して申し上げたいと思いますのは、こうして長いときをかけていえるようになって来たことなのですが、「詩作」の「白紙上」あるいはジャズや舞踏家とのコラボレーション（共同）のその場で、ほとんど偶然と一刹那に、実現の姿らしいものをみせた「道なき道のしるし」に、あるいは「声なき声」に賭けつづけるということでした。その「道なき道のしるし」こそが、太古の普遍、あるいは瞬間にとどくものであって、わたくしたちは「ジャズ」や「音楽」に託してそれを語ろうとしているのかも知れなかった。

即興（ハプニング）ということに、ジャズの燃えるような精神に触れて六十年、ようやっと、この「六〇年代詩人」のひとりは、細々とではありますけれども、「詩とは何か」の「道なき道のしるし」のあるところに、辿り着きました。

ほんの少し、爆発的で、ときに全力疾走もする即興的な「詩」の根拠
――あとがきに代えて

石原吉郎氏（一九七七年ご逝去）が亡くなられる四、五日前に、お話しになられました「古代天文台」朗読についての感想が、本書にとりましての稀らしい証言資料になったのだと思いますが、コルトレーンの死が一九六七年七月であったことに心中驚愕していました心が、「詩とジャズ」のはじまり（わたくしにとっての、……六〇年代そしてあの時代にとってもの）について詳しく、具体的に記しておくようにという促しを生んでいました。あれは新宿ピットイン（旧ピットイン、伊勢丹裏の木造の）二階でのことでした。一九七〇年の秋だったように記憶をしております。諏訪優氏と副島輝人（そえじまてると）氏の発案でしたが、書きましたばかりの長篇詩を「朗読」しましたときに生まれました創造的なエネルギーの爆発は、演じていますす、あるいは演奏をされていた山崎弘氏のコンボのメンバーにとってもおそらく初めて経験されたものであった筈です。「朗読者」のわたくしも、そこに初めて立ちあらわれてきた「ことだま」（わたくしはこのいい方を嫌いというよりも、忌避をさえしてきていましたのでしたが、……）の跳梁（ちょうりょう）はまことに名状のし難いもので、おそらく、この作者（わたくしのこと）

は、真心をこめて、全力を込めて、コルトレーンのように発声をすることだけを心掛けていた筈でした。予測を越える場が、そこ、新宿ピットイン二階に、誕生をして、以後、この詩人＝プレイヤーは、その「予測を越える場」の渦中を歩みつづけることになりました。

その場にいた、ジャズ関係者のお一方の「ジャズボーカルの新しい誕生だ」といわれたことが印象的でした。

「記憶の未来」といういい方をしてみましたが、この創作の場にもともと潜在していたものであって、それが、こうした共同の場（コラボレーション）を通して、顕ち上がって来たものとも考えられるのであって、全くといってよい程異なった、……六〇年代そしてじつに苛酷な状況を経験されたはずの石原吉郎氏の耳目に、これが「読まれるとき」に、これまでにない力をもって顕ち上がって来ると、そう感じられたということを、これも五十年＝半世紀を経て、確認する場に立ったということ、おそらくここで、細々とですが、「純粋言語」への途方もない、涯知れない「道なき道」が、ほんの少し、幽かに見えたということなのかも知れません。

ジャンル（部門、種別、様式、職業）の際に、物事のきわまったはてのようなところに、時としてみえてくるのが、僅かな、かすかな「詩」あるいは「詩のようなもの」なのですが、その際や垣根を常に打ち破りつづけるようにという命令の声のようなものを、わたくしも幼少の五〇年代そして六〇年代に聞いたのかも知れません。舞踏家、彫刻家、映像作家、写真家、音楽家諸氏との間断のないコラボレーションが続きました。

こうして、ほんの少し、爆発的で、ときに全力疾走もする即興的な「現代詩」の自由の根拠を、お話しし得たのだと思います。おそらく、世界中の他の地域で、アジア、アフリカでは潜在的には同様なのだと思いますし、この「詩とは何か」を問いつづけることの射程は深く、そして大きい。勿論、それが太古、普遍、瞬間に通じています。

「際、……」、「物事のきわまったはてのようなところ」という表現をしていましたが、それはモダンジャズでいいますと、例えばマイルス・デイヴィスのあの「弱音器」の妖精のような繊細な音色に典型をみることが出来るのですが、「写真」でいいます、「ぶれ」、「ボケ」、あるいは、わたくしは師事というか兄事するようにしておりました映像作家、詩人のジョナス・メカスの映像の齣の震え、掠れ、……六〇年代等々も、別世界への絶えざる眼差しの交叉、交感も、「即興」ともあたらしい日常ともいえるのであって、特にメカスの場合、故国リトアニアを離れてまったく異語の国にやって来て、震える心をカメラの震えに託したという切実も加わります。そのことは、メカスの盟友でもあった、アンディ・ウォーホルにもいえて、複製のときの、……微妙な差異を、表現に変えたことが、次なる芸術への道を開いたのでした。

モダンジャズが、おそらく、その芸術へのあらたなる道への起爆剤となりましたが、ギターのジミ・ヘンドリクスも、おそらく稀有の一例でしょう。「ギターをみえない樹木のように、それに触っている」が、わたくしのジミ・ヘンドリクスに触れたときの驚きの始まりでした。

そうしたことは、フランスのジミ・ヘンドリクスと呼ばれることもあります、ジャン＝フランソワ・ポーヴロス（Jean-François Pauvros）、Marilya と一九九〇年代からほぼ十年、「即興演奏」をともにしたこと、大友良英氏のこと、あるいは「空間現代」のこと、一九八〇年から九〇年には高柳昌行、富樫雅彦、梅津和時、翠川敬基、沖至各氏とともにという風に、絶えず、即興の共同制作の場をつくりつづけようとしていること、その長い旅路のことを考えましての仮の結論です。それが「自由詩」のささやかな、ほとんど唯一の道であったのでしょう。さらに繰り返しますが、そこに至る道こそが、普遍、根源、瞬間、太古への道でもあったのです。

年	出来事
1939（昭和14） 0歳	2月22日、東京都阿佐ヶ谷に生まれる。
1945（昭和20） 6歳	2月、空襲を避けて父の故郷の和歌山県海草郡川永村永穂（現・和歌山市）に疎開。空襲で和歌山市の中心部が燃え盛るのを眺めた記憶が残る。
1949（昭和24） 10歳	教室で疎外され弟と共に拝島の私立啓明学園に転校。生まれて初めて詩を書いた。
1954（昭和29） 15歳	都立立川高校に入学。漢文と世界史が得意科目。地学部に入り多摩川・秋川周辺を歩き回って化石採集に熱中する。
1957（昭和32） 18歳	慶應義塾大学文学部に入学。下宿生活の開始とともに詩作を始める。渋谷のキャバレーでボーイとして働き、夜の巷に馴染む。
1958（昭和33） 19歳	大学2年の時、岡田隆彦、井上輝夫らと知り合い「三田詩人」に参加。
1961（昭和36） 22歳	大学を中退し「家出」しようと下宿に書置きを残して出奔。「釜ヶ崎」のドヤ街に二畳間を借りて3ヵ月ほど暮らす。
1963（昭和38） 24歳	「三田詩人」から分かれた詩誌「ドラムカン」創刊に参加。3月、慶応義塾大学国文科卒業。
1964（昭和39） 25歳	三彩社に入社し美術雑誌「三彩」を編集。第一詩集『出発』（新芸術社）
1968（昭和43） 29歳	新しい時代の代表的詩人のひとりとして注目され、「現代詩手帖」「三田文学」「中央大学新聞」などを中心に多数の詩を発表。年末に三彩社を退社。
1970（昭和45） 31歳	田村隆一の推薦によりアメリカのアイオワ大学国際創作科に招待され半年間の滞在。創作科メンバーらとのバス旅行の際にマリリアと出会う。詩集『黄金詩篇』（思潮社）で第1回高見順賞受賞。
1971（昭和46） 32歳	マリリアと11月17日に挙式。媒酌人は田村隆一夫妻。詩集『頭脳の塔』（青地社）
1972（昭和47） 33歳	白石かずこや諏訪優らとともに詩の朗読でジャズミュージシャンと共演する機会が増える。
1973（昭和48） 34歳	詩集『王國』（河出書房新社）
1974（昭和49） 35歳	1月、マリリアの里帰りに同行、初めてブラジルを訪ねる。帰途パリやフィレンツェに立ち寄る。詩集『わが悪魔祓い』（青土社）。散文集『朝の手紙』（小沢書店）
1976（昭和51） 37歳	このころよりほぼ毎年、集英社の新福正武の斡旋により四校を回る高校講演会のため全国に赴く。散文集『わたしは燃えたつ蜃気楼』（小沢書店）

年譜

1977（昭和52）38歳	住まいを代々木から目黒区駒場に移す。詩集『草書で書かれた、川』（思潮社）
1978（昭和53）39歳	4月、中上健次が主催した新宮での「部落青年文化会」で講演。夏に恐山への旅。散文集『太陽の川』（小沢書店）
1979（昭和54）40歳	9月より翌年4月まで、ミシガン州立オークランド大学客員助教授としてデトロイト郊外に滞在する。詩集『熱風』（中央公論社・歴程賞受賞）。詩集『青空』（河出書房新社）
1981（昭和56）42歳	駒場の家をベースキャンプとして東京の街を歩行する過程で文芸誌「海」に連載の詩が書かれる。詩集『静かな場所』（書肆山田）。散文集『螺旋形を想像せよ』（小沢書店）
1982（昭和57）43歳	柴田南雄作曲の合唱曲作品「布瑠部由良由良」公演に出演。「地獄のスケッチブック」を朗読。共演する島尾ミホ、介添役の敏雄夫妻と出会う。
1983（昭和58）44歳	「北ノ朗唱」に参加、北海道の詩人や美術家たちと各地を巡り朗読。以後5年間続く。詩集『大病院脇に聳えたつ一本の巨樹への手紙』（中央公論社）
1984（昭和59）45歳	4月、この年から90年まで多摩美術大学の講師を務める。詩集『オシリス、石ノ神』（思潮社・第2回現代詩花椿賞受賞）
1986（昭和61）47歳	2月、矢口哲男斡旋による奄美でのマリリア公演に同行し奄美との劇的な出会いを経験する。エッセイ集『緑の都市、かがやく銀』（小沢書店）
1987（昭和62）48歳	4月より城西大学女子短大部客員教授。『打ち震えていく時間』（思潮社）。 『透谷ノート』（小沢書店）
1988（昭和63）49歳	1月27日、父一馬逝去（82歳）。5月、駒場から八王子市加住町に転居。
1989（平成元）50歳	夏、雑誌「太陽」の取材で、俳人山頭火の足跡を追って山口、九州、松山への旅。11月、国際交流基金による派遣でベルギー、インド、バングラデシュへの講演旅行。 『スコットランド紀行』（書肆山田）
1990（平成2）51歳	1月、初めての写真展「アフンルパルへ」を広尾のギャラリヴェリタで開催。このころより沖縄、奄美への旅が頻繁になる。詩集『螺旋歌』（河出書房新社・詩歌文学館賞受賞）
1991（平成3）52歳	3月、ロスアンジェルス、アリゾナ、フェニックスへの旅。ネイティヴアメリカン居留区の砂漠で今福龍太と対

	話。5月、ニューヨークでジョナス・メカスと出会う。8月、メカスを日本に迎えて帯広、山形、新宿などで様々なイベントを行なう。「メカス日本日記の会」を結成。
1992（平成4）53歳	3月、サンパウロ大学客員教授として2年間のブラジル滞在。日本文化研究所で柳田國男、折口信夫、島尾敏雄などを講義する。『慈悲心鳥がバサバサと骨の羽を拡げてくる』（書肆山田）。『死の舟』（書肆山田）
1993（平成5）54歳	10月、映画祭に招待されたジョナス・メカスとサンパウロで会う。
1994（平成6）55歳	1月、ブラジルより帰国。夏、石狩河口から夕張まで遡行の旅。夕張の廃坑前で偶然二重露光映像を撮影、以後二重露光撮影を試みる。NHK-BS2「現代詩実験室」に出演、大野一雄と釧路湿原で共演。
1995（平成7）56歳	NHK教育テレビ「ETV特集・芸術家との対話」で大野一雄と島尾ミホ、荒木経惟とジョナス・メカスをゲストに迎えて対話。詩集『花火の家の入口で』（青土社）。朗読CD『石狩シーツ』（アンジェリカハウス）
1996（平成8）57歳	NHK教育テレビ「未来潮流・メカスOKINAWA・TOKYO思索紀行」に出演、ジョナス・メカスと東京と沖縄で対話。夏、東京日の出町の森のゴミ処分場建設問題に関する若林奮のプロジェクトに「緑の森の一角獣座」と命名。10月、NHKテレビ番組の取材のためマリリアと共にブラジルに3週間滞在。「わが心の旅」は11月、「ETV特集・知られざる俳句王国ブラジル」は翌年1月に放送。12月、NHKテレビ「未来潮流・盤上の海、詩の宇宙」で羽生善治と対談。
1997（平成9）58歳	2月26日、岡田隆彦逝去。3月、パリに招待されてブック・フェアで朗読。9月、NHKテレビの取材で山頭火と尾崎放哉の足跡を追う。「ETV特集・漂泊を生きた詩人たち」。10月、映画監督アレクサンドル・ソクーロフと宮古、石垣島、那覇を旅する。羽生善治との対談集『盤上の海、詩の宇宙』（河出書房新社）
1998（平成10）59歳	2月、写真展「鯨、疲れた、……」をギャラリヴェリタで開催。8月26日、田村隆一逝去。葬儀委員長を務める。9月、川口現代美術館で吉増剛造写真・銅板展「水邊の言語オブジェ」を開催。10月、NHKハイビジョン番組「四国八十八か所」に出演し高知の四つの札所を巡る。12月、日中国際芸術祭『今天』20周年イベントで朗読。北島、芒克と共演。市村弘正との対談集『この時代

	の縁〔へり〕で』（平凡社）。詩集『「雪の島」あるいは「エミリーの幽霊」』（集英社）
1999（平成11）60歳	「アサヒグラフ」にポラロイド写真と言葉の作品を連載開始。9月、NHKテレビ新日曜美術館「空海と密教美術」にスタジオゲストで出演。同月、ソクーロフと奄美に。島尾ミホ主演の映画「ドルチェ――優しく」撮影のため。対談集『はるみずのうみ――たんぽぽとたんぷぷ』（矢立出版）。評論集『生涯は夢の中径――折口信夫と歩行』（思潮社）
2000（平成12）61歳	フランスを訪問、各地で朗読と講演。ジャン゠リュック・ナンシーと出会う。8月、NHKハイビジョン番組「アーティストたちの挑戦」で二重露光写真をテーマに出演。9月、写真展「パランプセストの庭」を渋谷のロゴスギャラリーで開催。『賢治の音楽室』（小学館）。『ことばの古里、ふるさと福生』（矢立出版）
2001（平成13）62歳	フランスを訪問、パリ日本文化館、リヨン第三大学で講演。日本大使館公邸で写真展。詩誌「PO&SIE」が吉増特集。同月、NHK教育テレビ「ラジオ第二放送開始70周年記念」番組に出演、『熱風』を朗読する。『燃えあがる映画小屋』（青土社）。『ドルチェ――優しく　映像と言語、新たな出会い』（岩波書店）。『剝きだしの野の花――詩から世界へ』（岩波書店）
2002（平成14）63歳	2月、ポラロイドギャラリーでポラロイド写真展「瞬間のエクリチュール」開催。3月、フランス訪問。リヨン第三大学で集中講義。ギャルリ・マルティネスで写真展。4月9日、安東次男逝去。葬儀で弔辞を読む。11月、うらわ美術館の「融点・詩と彫刻による」で若林奮とのコラボレーション。『ブラジル日記』（書肆山田）。詩集『The Other Voice』（思潮社）
2003（平成15）64歳	4月、早稲田大学政経学部にて言語表象論を担当。同月、紫綬褒章受章。6月、城西国際大学水田美術館で写真展「一滴の光　1984―2003」。9月、ニューヨークのギャラリーロケーション・ワンでワークショップと展覧会。近くのツインタワー跡に立つ。旧友のジョナス・メカスと再会。10月10日、若林奮逝去。11月、青山ブックセンターで写真展「ヒカリノオチバ」。同月、新宿フォトグラファーズ・ギャラリーで写真展「詩ノ汐ノ穴」。『詩をポケットに』（日本放送出版協会）
2004（平成16）65歳	3月、奄美から沖縄を旅して『ごろごろ』を書き下ろす試みを行なう。10月、アイオワ大学国際創作科に三十数

	年ぶりに招かれて滞在。長篇詩『ごろごろ』（毎日新聞社）
2005（平成17）66歳	3月、イタリアのローマとフィレンツェで訳詩集『The Other Voice／L'ALTRA VOCE』（LIBRI SCHEIWILLER社）の刊行記念のイベント。10月、フランスで写真集『A Drop of Light』（Fage Editions社）を刊行。高銀（コ・ウン）との対論集『「アジア」の渚で』（藤原書店）。詩集『天上ノ蛇、紫のハナ』（集英社）。写真集『In-between11　アイルランド』（EUジャパンフェスト日本委員会）
2006（平成18）67歳	3月、NHK教育テレビ「知るを楽しむ」の「柳田國男　詩人の魂」に出演。5月、學燈社「國文學」5月臨時増刊号「吉増剛造――黄金の象」刊行。7月、初めてのgozoCiné作品「まいまいず井戸」を撮影。8月、ポレポレ東中野にて吉増主演の映画「島ノ唄」（伊藤憲監督）の公開。12月、「與門〔よもん〕会」を始める。第1回のゲストは山口昌男。詩集『何処にもない木』（試論社）。今福龍太との対話集『アーキペラゴ――群島としての世界へ』（岩波書店）。関口涼子との共著『機〔はた〕――ともに震える言葉』（書肆山田）
2007（平成19）68歳	3月25日、長年の交友があった島尾ミホが逝去。追悼文を綴る。9月、母悦の初めての著書『ふっさっ子剛造』が矢立出版より刊行される。10月、gozoCinéの新作「鏡花フィルム」四部作のシナリオメモが「現代思想」10月臨時増刊号に掲載される。朗読CD『死人』（JINYA）
2008（平成20）69歳	6月より北海道立文学館にて、「詩の黄金の庭　吉増剛造」展を開催。8月、日本近代文学館の「夏の文学教室」のために「芥川龍之介フィルム――Kappa」を撮り下ろす。10月、ブラジルへの小旅行。詩集・写真集『表紙omote-gami』（思潮社・第50回毎日芸術賞受賞）
2009（平成21）70歳	2月、青山ブックセンターにて、『キセキ』刊行記念のトーク。3月、ストラスブール大学主催の「検閲、自己検閲、タブー」をめぐる学会で講演。その後フランス各地を旅してアイルランドに渡り、イェイツのCinéを撮影する。5月、萬鉄五郎記念美術館の企画でCinéを3本制作する。10月、山形国際ドキュメンタリー映画祭に審査員として参加する。DVD書籍『キセキ――gozoCiné』（オシリス）。『静かなアメリカ』（書肆山田）
2010（平成22）71歳	東京都写真美術館での第2回恵比寿映像祭にて、gozoCinéの上映と講演。アメリカの東海岸への旅。エミ

	リー・ディキンソンの家を訪ねてCiné「エミリーfilm」を制作する。6月、銀座BLDギャラリーにて写真展。慶應大学日吉キャンパスにて舞踏家笠井叡とコラボレーション。写真集『盲いた黄金の庭』(岩波書店)。樋口良澄との共著『木浦通信』(矢立出版)
2011(平成23)72歳	3月11日、大地震発生のときは神楽坂のカフェ2階にて「アイデア」誌の取材中。その後、高見順賞授賞式の予定会場のホテルメトロポリタンエドモントに移動。月末にはアメリカ旅行へ。ワッツ・タワーやフェニックスを巡りCinéを制作する。6月、アメリカの東海岸を旅して、メルヴィルを主題としたCinéなどを制作。7月と8月、ポレポレ東中野にて「予告する光gozoCiné」と題して、52作品を一挙上映。10月、世田谷文学館の萩原朔太郎展の特別イベントとして、参加者と共に下北沢をフィールドワーク。詩集『裸のメモ』(書肆山田)
2012(平成24)73歳	1月、朝日新聞電子版にて「3・11後の詩」特集で取材を受け、「詩の傍(cotes)で」と題して詩作(後の「怪物君」)が始まる。3月、パリでのブックフェアに大江健三郎ら日本の作家とともに参加。5月までマルセイユに滞在。9月、大友良英、鈴木昭男とともに、アメリカ・カナダ巡回公演に参加、各地でセッションを行う。『詩学講義　無限のエコー』(慶應義塾大学出版会)
2013(平成25)74歳	2月、北上市の日本現代詩歌文学館にて、笠井叡との座談とコラボレーション。5月、旭日小綬章を受ける。小樽文学館での瀧口修造展のオープニングで講演。小樽時代の瀧口について語る。7月、ロンドンでの「As Though Tattooing on My Mind」展に出席。花巻・萬鉄五郎記念美術館での瀧口修造展で講演。8月、日本近代文学館「夏の文学教室」にて吉本隆明について吉本隆明「日時計篇」原稿をスクリーンに投影しつつ、講演。11月、文化功労者に選ばれる。倉敷での浦上玉堂シンポジウムに出席、玉堂Cinéを制作。12月、足利市立美術館での瀧口修造展にて講演。福生市民栄誉章を受ける。
2014(平成26)75歳	7月、岡山県立美術館にて浦上玉堂の「凍雲篩雪図」(国宝)を撮影して、Cinéを制作。10月、花巻の街かど美術館アート@つちざわに、「怪物君」70作を出品。12月、青森県美術館「縄目の詩、石ノ柵」展にCinéと「怪物君」十数作を出展。札幌のTEMPORARY SPACEにて「水機ヲル日、……」展。
2015(平成27)76歳	3月、芸術院賞と恩賜賞を受ける。三田文学会理事長に

	就任する。6月、足立正生監督『断食芸人』に本人役で出演。9月、北海道立文学館にて川端香男里と「川端康成と戦後日本」と題して対談。10月、神奈川県立近代文学館にて柳田國男について講演。11月、世田谷文学館にて大岡信について講演。神奈川県立近代美術館（葉山）の若林奮展にて、酒井忠康と対談。12月、日本芸術院会員に選出される。
2016（平成28）77歳	1月、CSテレビ「gozo 京都の四季」の冬篇の撮影で京都各地をロケ。1年間の撮影が終了。6月、東京国立近代美術館にて、「声ノマ　全身詩人、吉増剛造展」が開催される。『我が詩的自伝　素手で焰をつかみとれ！』（講談社現代新書）。『心に刺青をするように』（藤原書店）。詩集『怪物君』（みすず書房）。自選エッセイ集『GOZOノート全三巻』（慶應義塾大学出版会）。『根源乃手／根源乃（亡露ノ）手、……』（響文社）。フォレスト・ガンダー編による英訳詩集アンソロジー『ALICE IRIS RED HORSE』（New Directions）
2017（平成29）78歳	2月、東京都現代美術館の「MOTサテライト2017春往来往来」展の吉増剛造プロジェクトとして参加。8月、「札幌国際芸術祭2017」の一環として北海道大学綜合博物館にて「火ノ刺繡―『石狩シーツ』の先へ」を開催。11月、「涯テノ詩聲　詩人　吉増剛造展」が足利市立美術館にて開催、以後翌年4月に沖縄県立博物館・美術館、8月に渋谷区立松濤美術館に巡回。
2018（平成30）79歳	9月、『舞踏言語』創刊を記念してシアターχにて笠井叡や中嶋夏らとコラボレーション。11月、井上春生監督の映画『幻を見るひと～京都の吉増剛造』が公開。文集『火ノ刺繡』（響文社）。舞踏論集『舞踏言語』（論創社）
2019（平成31・令和元）80歳	8月、石巻市の鮎川地区で「Reborn―Art Festival2019」に参加、「詩人の家」に滞在し長篇詩篇を書下ろし、ホテルニューさか井の一室の窓に詩を書きつけ《roomキンカザン》と名付けて作品とした。11月、東京都現代美術館の「Echo after Echo仮の声　新しい影」展に吉増剛造プロジェクトとして参加、石巻で撮影した動画を素材とするgozoCinéの上映などを行った。
2020（令和2）81歳	1月、前年に亡くなった映像作家ジョナス・メカスを追悼する、井上春生監督の映画『眩暈VERTIGO』に出演、その撮影のためにニューヨークに滞在。 4月、足利市のartspace&caféにて「ウラウエノウミツチ（裏表の海土）」展。新作の「怪物君」などを展示。

	4月30日から「gozo's DOMUS（ゴーゾーのおうち）」と題して、短い動画を「葉書Ciné」と名付け、毎週木曜日にYouTubeにアップする。マリリアも歌唱で参加、札幌の書肆吉成らが運営に協力、現在も続いている。
2021（令和3）82歳	3月27日、NHKのテレビ番組「SWITCHインタビュー達人達」でミュージシャンの佐野元春と対談、佐野は積年の吉増のファンであったことを明かした。5月、足利市のartspace&caféにて「Voixヴォワ」展。「葉書Ciné」などを展示。6～8月、「マンチェスター・インターナショナル・フェスティバル」というアート・フェスティバルから招聘され、「怪物君」などを出品した。7～8月、東麻布のギャラリー「TAKE NINAGAWA」で「怪物君」展を開催、これまでの「怪物君」シリーズを精選して展示した。また同ギャラリーは現代アートフェアーの「アート・バーゼル」に「怪物君」を出展。10月、詩集「Voix（ヴォア）」（思潮社）

N.D.C. 900　315p　18cm
ISBN978-4-06-518827-9

講談社現代新書　2641

詩とは何か

二〇二一年一一月二〇日第一刷発行

著　者　吉増剛造　© Gozo Yoshimasu 2021

発行者　鈴木章一

発行所　株式会社講談社
東京都文京区音羽二丁目一二―二一　郵便番号一一二―八〇〇一

電　話　〇三―五三九五―三五二一　編集（現代新書）
〇三―五三九五―四四一五　販売
〇三―五三九五―三六一五　業務

装幀者　中島英樹

印刷所　凸版印刷株式会社

製本所　株式会社国宝社

定価はカバーに表示してあります　Printed in Japan

「講談社現代新書」の刊行にあたって

教養は万人が身をもって養い創造すべきものであって、一部の専門家の占有物として、ただ一方的に人々の手もとに配布され伝達されうるものではありません。

しかし、不幸にしてわが国の現状では、教養の重要な養いとなるべき書物は、ほとんど講壇からの天下りや単なる解説に終始し、知識技術を真剣に希求する青少年・学生・一般民衆の根本的な疑問や興味は、けっして十分に答えられ、解きほぐされ、手引きされることがありません。万人の内奥から発した真正の教養への芽ばえが、こうして放置され、むなしく滅びさる運命にゆだねられているのです。

このことは、中・高校だけで教育をおわる人々の成長をはばんでいるだけでなく、大学に進んだり、インテリと目されたりする人々の精神力の健康さえもむしばみ、わが国の文化の実質をまことに脆弱なものにしています。単なる博識以上の根強い思索力・判断力、および確かな技術にささえられた教養を必要とする日本の将来にとって、これは真剣に憂慮されなければならない事態であるといわなければなりません。

わたしたちの「講談社現代新書」は、この事態の克服を意図して計画されたものです。これによってわたしたちは、講壇からの天下りでもなく、単なる解説書でもない、もっぱら万人の魂に生ずる初発的かつ根本的な問題をとらえ、掘り起こし、手引きし、しかも最新の知識への展望を万人に確立させる書物を、新しく世の中に送り出したいと念願しています。

わたしたちは、創業以来民衆を対象とする啓蒙の仕事に専心してきた講談社にとって、これこそもっともふさわしい課題であり、伝統ある出版社としての義務でもあると考えているのです。

一九六四年四月　野間省一

文学

趣味・芸術・スポーツ